Yr Elyrch: Dathlu'r 100

G<small>ERAINT</small> H J<small>ENKINS</small>

CYNGOR LLYFRAU CYMRU

ISBN: 978 184771408 4
Argraffiad cyntaf: 2012

Mae'r prosiect Stori Sydyn/Quick Reads yng Nghymru
yn fenter ar y cyd rhwng Llywodraeth Cymru a Chyngor
Llyfrau Cymru.

Argaffwyd a chyhoeddwyd gan
Y Lolfa, Talybont, Ceredigion SY24 5HE
gwefan www.ylolfa.com
e-bost ylolfa@ylolfa.com
ffôn 01970 832 304
ffacs 832782

CYNNWYS

PENNOD 1:
Y BLYNYDDOEDD CYNNAR

YN YSTOD HAF 2012 bydd cefnogwyr tîm pêl-droed dinas Abertawe yn dathlu'n llawen. Ganrif yn ôl, ym mis Gorffennaf 1912, cafodd y clwb proffesiynol cyntaf ei sefydlu yn y dref. Swansea Town oedd ei enw a chwaraeodd y tîm ei gêm gyntaf yng Nghynghrair y De ar Gae'r Vetch ar brynhawn Sadwrn, 7 Medi. Caerdydd oedd yn chwarae yn eu herbyn a daeth torf o 8,000 i'r Vetch i gefnogi'r Elyrch, neu'r Swans. Gan fod dau o gorau meibion y dref wedi ennill y prif wobrau yn yr Eisteddfod Genedlaethol yn Wrecsam y diwrnod cynt, roedd y cefnogwyr mewn hwyliau da. Yn wir roedden nhw'n barod i ganu a bloeddio trwy gydol y gêm. Roedd tîm Caerdydd yn llawer mwy profiadol, ond chwaraeodd y tîm cartref yn llawn bywyd. Gôl yr un oedd y canlyniad a bu hi'n gêm bwysig yn hanes y bêl gron yn Abertawe. Bron ganrif yn ddiweddarach mae'r clwb yn chwarae yn Uwchgynghrair Lloegr, ar feysydd crand, yn erbyn rhai o bêl-droedwyr gorau'r byd.

Mae'n anodd dychmygu pa mor wahanol oedd byd y pêl-droediwr pan gafodd y clwb proffesiynol ei sefydlu. Roedd rheolwr y tîm,

Walter Whittaker, hefyd yn chwarae, a hynny fel gôl-geidwad. Doedd ganddo ddim llawer o arian i godi tîm a thros yr haf dim ond £250 a wariodd ar chwaraewyr newydd. Pêl-droedwyr cryf o Loegr oedd y mwyafrif ohonyn nhw a dim ond dau chwaraewr lleol oedd yn y sgwad honno. Willie Messer, asgellwr chwim, oedd un ohonyn nhw ac aeth y llall, William Thomas Havard, yn ei flaen i chwarae i dîm rygbi Cymru ym 1919. Wedi hynny daeth yn Esgob Tyddewi. Dim ond £3 yr wythnos oedd cyflog y chwaraewyr bryd hynny, ond roedden nhw'n llawn egni ar y maes ac yn fodlon brwydro hyd at yr eiliad olaf.

Roedd angen iddyn nhw fod yn gryf ac yn benderfynol oherwydd roedd hi mor anodd chwarae. Rhaid cofio bod y bêl ledr yn drwm, yn enwedig ar brynhawn gwlyb, ac felly roedd y dasg o'i chicio'n bell neu ei phenio yn her i bob chwaraewr. Pa ryfedd, felly, fod y chwaraewyr yn gwisgo esgidiau lledr trwm a chapan arnyn nhw, a chrimogau (shin-guards) hefyd i arbed eu coesau. Byddai'r Elyrch yn gwisgo crysau a siorts gwyn, a sanau du, ond doedd dim hawl gan yr un clwb i roi rhifau ar gefn y crysau. Gwaith anodd i'r cefnogwyr, felly, oedd adnabod chwaraewyr y tîm arall!

Cae'r Vetch oedd cartref cyntaf yr Elyrch ac

fe fuon nhw yno am 93 o flynyddoedd. Enw diddorol yw 'Vetch Field'. Mae'n debyg fod contractiwr yng nghanol Oes Victoria wedi penderfynu hau ffacbys (vetch) ar y darn hwn o dir er mwyn bwydo'i wartheg. Erbyn y Sulgwyn 1891 roedd y safle'n cael ei ddefnyddio ar gyfer rasys beiciau, rasys trotian, balwnio a glanio parasiwt. Erbyn 1893 roedd pêl-droedwyr yn ymarfer yno, ond roedd cyflwr y cae yn gwaethygu o flwyddyn i flwyddyn. Yna ym 1912 llwyddodd clwb pêl-droed Abertawe i sicrhau'r tir am £75 y flwyddyn. Ond doedd dim digon o amser i baratoi maes chwarae gwyrdd braf yn ystod y tymor cyntaf. Felly, bu'n rhaid chwarae ar gae o gòls a lludw wedi eu gwasgu'n dynn ar yr wyneb. Er hynny, daeth enw'r Vetch yn rhan o chwedloniaeth y clwb.

Mae'r cae wedi'i leoli yng nghanol ardal lle roedd cefnogwyr y clwb yn arfer byw. Yn 2005 cafodd calon sawl cefnogwr ei thorri wrth i'r clwb benderfynu gadael yr hen stadiwm. Collodd sawl cefnogwr selog ddagrau hefyd pan aeth y teirw dur ati i chwalu'r hen stadiwm yn 2011.

Dros y blynyddoedd bu'r clwb yn llwyddiannus iawn, gan ennill sawl buddugoliaeth i'w chofio ar Gae'r Vetch. Yn ystod y tymor llwyddiannus cyntaf gorffennodd y tîm yn y trydydd safle yng Nghynghrair y De ac ennill Cwpan Cymru trwy guro Pontypridd o un gôl i ddim. Wedi'r fuddugoliaeth hon, cafodd y tîm ei gludo trwy'r dref i gyfeiliant sŵn band pres. Un o ffefrynnau mawr y dorf oedd y blaenwr Billy Ball. 'Rhowch y bêl i Bally' fyddai'r floedd ac ef oedd y cyntaf i sgorio hat-tric dros yr Elyrch. Erbyn diwedd y tymor roedd pêl-droed wedi ennill ei le mewn tref lle'r oedd rygbi wedi bod mor boblogaidd ers blynyddoedd.

Un o'r gêmau pwysig cynnar oedd honno yn rownd gyntaf Cwpan FA Lloegr yn erbyn tîm enwog a nerthol Blackburn Rovers ar 9 Ionawr 1915. Dyma gyfnod y Rhyfel Mawr ac roedd cefnogwyr yr Elyrch yn dyheu am gyfle i anghofio, dros dro, am y dioddef. Roedd Blackburn yn bencampwyr y Cynghrair Pêl-droed ac roedden nhw eisoes wedi ennill Cwpan FA Lloegr bum gwaith. Gwasgodd 16,000 o gefnogwyr i mewn i'r Vetch a chyn y chwiban cyntaf fe fuon nhw'n morio canu hen ffefrynnau fel 'Calon Lân' a 'Cwm Rhondda'. Er bod chwaraewyr Blackburn yn fwy dawnus, gwrthododd chwaraewyr Abertawe ildio modfedd iddyn nhw. Drwy amddiffyn a thaclo'n galed, llwyddodd y tîm cartref i ddal ei dir, gan ddisgwyl am gyfle i wrthymosod.

Pan ddaeth y cyfle hwnnw, roedd Ben Beynon yn barod amdano. Ef oedd yr unig amatur yn y tîm ac ar ôl y rhyfel fe chwaraeodd fel maswr dros dîm rygbi Cymru. Rhuthrodd i mewn i flwch cosbi Blackburn a saethu taran o ergyd i'r rhwyd. Roedd y dorf wrth ei bodd. Ond suddodd eu calonnau pan gafodd Blackburn gic gosb yn yr ail hanner. Roedd Billy Bradshaw wedi llwyddo i sgorio o'r smotyn 36 gwaith yn olynol. Ond y tro hwn aeth ei ergyd heibio'r postyn ac roedd y dorf wrth ei bodd unwaith eto. Enillodd Swansea Town o un gôl i ddim.

Ar gyfer tymor 1920–1 penderfynodd y Cynghrair Pêl-droed newid y drefn trwy sefydlu Trydedd Adran. Cafodd Abertawe gyfle i ymuno â hi ac aeth y rheolwr newydd, Joe Bradshaw, un o gyn-chwaraewyr Chelsea, ati i greu tîm cystadleuol. Un o'i sêr oedd Ivor Jones, tad yr asgellwr enwog, Cliff. Dewin o chwaraewr oedd 'Ifor bach'. Byddai'n rhoi oriau o bleser i'r cefnogwyr trwy ddangos ei ddoniau ar y cae. Roedd yn ddriblwr medrus a chwim, ac yn llwyddo i sgorio goliau cofiadwy iawn. Ffefryn arall oedd Jack Fowler, blaen ymosodwr egnïol a sgoriwr cyson. Sgoriodd 101 o goliau dros yr Elyrch, gan gynnwys naw hat-tric. Roedd Fowler yn enwog iawn yn ei ddydd, yn wir roedd ei lun ar gardiau sigarét cwmni Player's.

'Fow, Fow, Fow, Fowler, sgoria gôl fach bert i mi' oedd un o hoff ganeuon y cefnogwyr. Ef oedd un o'r sgorwyr pan gododd y tîm i'r Ail Adran trwy guro Exeter gartref o flaen torf o 24,000 ar 2 Mai 1925.

Ond prif arwr y cefnogwyr oedd capten y tîm, Joe Sykes. Roedd Sykes yn daclwr cryf, yn basiwr celfydd ac yn arweinydd gwych. Rhwng 1924 a 1935 gwisgodd liwiau Abertawe mewn 312 o gêmau. Ar ôl ymddeol cafodd waith yn y Vetch fel hyfforddwr ac fel rheolwr cynorthwyol. Roedd pawb yn ei barchu ac roedd y chwaraewyr ifanc yn meddwl y byd ohono.

Awr fawr bwysig yn hanes Sykes a'r clwb oedd honno ar 6 Mawrth 1926 pan ddaeth Arsenal i'r dref i herio'r Elyrch yn chweched rownd Cwpan FA Lloegr. Roedd tîm 'Y Gunners' yn llawn sêr rhyngwladol ac erbyn canol y bore roedd cannoedd o gefnogwyr yn disgwyl wrth y gatiau. Erbyn y gic gyntaf roedd 25,000 o bobl wedi gwasgu i mewn i Gae'r Vetch. Chwaraeodd Abertawe yn ardderchog. Llwyddodd Len Thompson a Jack Fowler i sgorio goliau gwych, ac roedd hynny'n ddigon i ennill y dydd. Aeth y tîm ymlaen i ornest gynderfynol yn erbyn Bolton. Gwaetha'r modd, colli'r gêm honno wnaethon nhw ac aeth blynyddoedd lawer heibio wedyn cyn i'r clwb ddod yn agos at gyrraedd stadiwm Wembley.

Yna collodd Abertawe ei ffordd. Bu ond y dim i'r clwb lithro'n ôl i'r Drydedd Adran ym 1930 a dim ond trwy ennill y gêm olaf un ar ddiwedd tymhorau 1930–1, 1933–4 a 1937–8 y llwyddodd y clwb i ddiogelu ei statws. Blynyddoedd llwm iawn yn hanes y gweithwyr oedd y tridegau yn ne Cymru. Roedd tlodi, diweithdra a diboblogi yn amlwg a doedd gan lawer o gefnogwyr ddim digon o arian wrth gefn i fynd i Gae'r Vetch yn gyson i wylio'r tîm. Digon gwan oedd rhai o berfformiadau'r tîm hefyd ac yn ystod tymor jiwbili'r clwb ym 1937–8 sgoriodd Fulham wyth gôl yn eu herbyn nhw. Roedd y tîm yn destun sbort. Oddi ar y cae, roedd problemau ariannol yn cynyddu ac yn y papurau newydd lleol yn aml roedd penawdau fel, 'Rhaid achub yr Elyrch'. Ychydig cyn yr Ail Ryfel Byd roedd y sefyllfa'n ddifrifol iawn. A fyddai gan gefnogwyr yr Elyrch glwb i'w gefnogi erbyn diwedd y rhyfel?

PENNOD 2:
MEITHRIN SÊR DISGLAIR

YN YSTOD YR AIL Ryfel Byd manteisiodd y clwb ar
y cyfle i feithrin sêr y dyfodol o blith bechgyn
ifanc, talentog y dref. Erbyn hynny roedd gan
Abertawe ardaloedd dosbarth gweithiol lle
byddai'r bechgyn yn dod at ei gilydd gyda'r
nos i gicio pêl ac i wella'u sgiliau. Cafodd
rhannau helaeth o ganol y dref eu bomio gan
awyrennau'r Luftwaffe ym mis Chwefror 1941.
Gan fod y fyddin wedi gorfodi'r clwb i ildio'r
Vetch ar gyfer eu gynnau, bu'n rhaid i Abertawe
chwarae gêmau cyfeillgar ar faes rygbi Sain
Helen. Drwy ryw ryfedd wyrth ni ddisgynnodd
unrhyw fomiau ar Gae'r Vetch. Ond dioddefodd
rhannau helaeth o ganol Abertawe yn ddifrifol
iawn a bu'n rhaid adeiladu o'r newydd ar ôl
1945.

Yn y cyfamser roedd Haydn Green, rheolwr
y clwb er 1939, wedi bod wrthi'n ddyfal yn
perswadio chwaraewyr ifanc addawol i ymuno
â'r clwb. I lawer o'r rhain, braint oedd cael
gwisgo crys gwyn Abertawe. Arwyddodd
Green nifer o chwaraewyr Gwyddelig hefyd
i gryfhau'r tîm. Yn ychwanegol, penododd
Green ddau gynorthwyydd dylanwadol iawn,
sef y cyn-chwaraewr Joe Sykes a Frank Barson,

cyn-amddiffynnwr Manchester United a Lloegr. Roedd Barson yn ddisgyblwr llym ac roedd ganddo lais fel taran.

Ond dau Gymro oedd sêr pennaf y clwb. Brodor o Townhill oedd Trevor Ford, a gofalai ei dad mai esgidiau pêl-droed fyddai ei anrheg Nadolig bob blwyddyn. Yn ystod y rhyfel datblygodd yn flaen ymosodwr i'w barchu a'i ofni. Un ymosodol a phenstiff oedd e ac yn cael ei adnabod fel 'Fiery Ford'. Doedd dim rhyfedd felly ei fod yn codi arswyd ar gôl-geidwaid drwy ruthro amdanyn nhw a'u bwrw'n glatsh ar wastad eu cefn neu i mewn i'r rhwyd hyd yn oed. Byddai'n sgorio goliau di-rif, gan gynnwys 41 gôl yn ystod tymor 1945–6. Pan fyddai Ford yn chwarae byddai rhyw gyffro neu sgarmes yn siŵr o ddigwydd. 'Nid gêm i ferched yw pêl-droed,' meddai, 'ond gêm i ddynion. Rwy'n falch o'm dull o chwarae a does dim lle yn y gêm hon i chwaraewyr gwangalon.' Siom i ddilynwyr Abertawe oedd clywed y newyddion iddo gael ei drosglwyddo i Aston Villa am £10,000 ym 1947.

Un gwyllt a phenstiff hefyd oedd yr hanerwr Roy Paul. Cyn-löwr o'r Rhondda oedd Paul a byddai'r papurau newydd yn aml yn cyfeirio ato fel 'ceffyl haearn y Rhondda'. Roedd yn ymladdwr hyd yr eithaf ar faes pêl-droed ac yn gymeriad hynod ddireidus hefyd. 'Paul oedd Paul,' meddai John Charles amdano, gan chwerthin. Aeth i drafferthion mawr ym 1950 trwy deithio i Bogotá yn Ne America i ddilyn gyrfa newydd yno fel pêl-droediwr. Roedd ei wraig druan dan yr argraff ei fod ar ei wyliau yn Blackpool. Ar ôl iddo ddod yn ôl ymhen pythefnos wedi newid ei feddwl, penderfynodd y clwb ei drosglwyddo i Manchester City cyn iddo achosi rhagor o helynt.

Er hynny, doedd egni a doniau Ford a Paul ddim yn ddigon i achub Abertawe rhag disgyn i'r Drydedd Adran ar ddiwedd tymor 1946–7. Penderfynodd Haydn Green ymddiswyddo a chafodd Billy McCandless, Gwyddel profiadol, ei benodi'n olynydd iddo. Un tebyg iawn i'r enwog Alfred Hitchcock oedd McCandless o ran pryd a gwedd, ac roedd yn feistr caled iawn. Doedd ganddo ddim amynedd â'r rheini nad oedd yn tynnu eu pwysau ac roedd yn disgwyl i bawb ufuddhau i'w orchmynion. Llwyddodd ei bolisi cadarn a chafodd y clwb ddyrchafiad ar ddiwedd tymor 1948–9 – y tro cyntaf i'r clwb godi i adran uwch er 1925. Ac eithrio un, enillon nhw bob gêm gartref, gan sgorio 87 gôl yn ystod y tymor, diolch i chwaraewyr fel Stan Richards a Sam McCrory. O ganlyniad byddai torfeydd yn dod i Gae'r Vetch yn eu miloedd. Roedd hyd yn oed y gŵr surbwch McCandless yn gwenu ar ôl ennill dyrchafiad. Cododd gobeithion y cefnogwyr yn uwch nag erioed, yn enwedig gan fod llawer o chwaraewyr ifanc eithriadol o ddisglair yn disgwyl eu cyfle yn y clwb.

Yna daeth oes 'Babanod Abertawe' yn ystod y 1950au. Ac eithrio Manchester United, prin fod unrhyw glwb yn y Deyrnas Unedig wedi magu'r fath dalent ifanc. Roedd dwsinau o fechgyn ifanc dawnus yn dyheu am gyfle i wisgo crys gwyn yr Elyrch. Petai cyfarwyddwyr y clwb wedi bod yn fwy gofalus, gallen nhw fod wedi ychwanegu at eu niferoedd. Ond, gwaetha'r modd, collon nhw sawl chwaraewr lleol addawol a disglair. Aeth Ray Daniel, canolwr cryf o Blas-marl, i Arsenal, a Jack Kelsey o Lansamlet, gôl-geidwad acrobatig, hefyd i'r un clwb.

Ond y golled fwyaf oedd colli 'Y Cawr Addfwyn', John Charles, chwaraewr ifanc o Gwmbwrla a oedd, o ran dawn a gallu, ymhell ar y blaen i'r prentisiaid eraill yn Abertawe. Gan fod y clwb wedi'i gofrestru fel amatur yn unig, gwelodd un o sgowtiaid Leeds United ei gyfle i'w gipio ym mis Medi 1948. Oherwydd iddyn nhw fod mor esgeulus, collodd Abertawe chwaraewr penigamp a fyddai'n datblygu i fod yn un o bêl-droedwyr gorau'r byd.

Er gwaetha'r colledion hyn, roedd gan y clwb griw ardderchog o chwaraewyr lleol. Yr un disgleiriaf, heb os, oedd crwt penfelyn o'r enw Ivor Allchurch. Pan welodd Joe Sykes ef am y tro cyntaf, ac yntau'n 14 oed, yn chwarae ar gaeau gerllaw'r fan lle mae Stadiwm Liberty heddiw, roedd yn gwybod ar unwaith y byddai'n un o sêr y dyfodol. Rhwng 1949 a 1958 chwaraeodd Allchurch 330 o gêmau cynghrair dros Abertawe, gan sgorio 124 o goliau. Enillodd 68 cap dros Gymru.

Gan fod safon chwarae Ivor Allchurch mor rhyfeddol yng nghystadleuaeth Cwpan y Byd yn Sweden ym 1958, honnodd Señor Bernabeu, pennaeth Real Madrid, mai ef oedd y rhif 10 gorau yn y byd. Roedd Allchurch yn arbenigo ar saethu ergydion syfrdanol o bell i ben ucha'r rhwyd. Ef oedd prif arwr y cefnogwyr a chawson nhw oriau lawer o bleser ar y Vetch yn ei wylio ef a'r asgellwr, Len, ei frawd iau. Ceir cerflun hardd o Ivor Allchurch y tu allan i Stadiwm Liberty a chyn pob gêm bydd llawer o gefnogwyr hŷn y clwb yn cyffwrdd â'i esgidiau er mwyn dod â rhywfaint o lwc dda i'r tîm.

Yn ardal Sandfields cafodd dau asgellwr gwych arall eu magu. Yn ei anterth Cliff Jones, mab Ivor Jones, oedd yr asgellwr cyflymaf a'r mwyaf peryglus ym Mhrydain. Byddai'n rhedeg fel milgi gyda'r bêl ac er ei fod yn fychan o gorff roedd yn gryf ac yn ddewr. Gan fod ei ddwy droed cystal â'i gilydd, gallai ymosod ar gefnwr o unrhyw gyfeiriad a chroesi'r bêl o fannau annisgwyl. Gallai neidio'n uchel hefyd. Prin fod unrhyw asgellwr arall yn ei ddydd wedi sgorio cymaint o goliau cofiadwy â'i ben. Enillodd 60 o gapiau dros ei wlad, gan ennill parch ei gyd-chwaraewyr am ei sgiliau a'i frwdfrydedd.

Un o'i gymdogion yn Abertawe oedd Terry Medwin, asgellwr arall chwim ac artistig oedd hefyd yn gallu chwarae fel blaen ymosodwr. Yn wahanol i Cliff Jones, doedd e ddim yn dibynnu ar gyflymder yn unig. Roedd yn fwy pwyllog, yn enwedig wrth basio a chroesi'r bêl. Roedd ganddo'r ddawn i newid momentwm a chyfeiriad wrth ymosod ac yn ystod ei yrfa sgoriodd goliau arbennig iawn.

Er na lwyddodd y clwb i gadw John Charles, bu ei frawd iau, Mel, yn chwaraewr pwysig i'r tîm am rai blynyddoedd. Hanerwr egnïol a diflino oedd Mel Charles, ond gallai hefyd, pan fyddai angen, lenwi safle'r canolwr neu arwain y llinell flaen. Er iddo dreulio'i yrfa yng nghysgod ei frawd enwog, roedd yn chwaraewr rhyngwladol ardderchog. Enillodd 31 cap a chafodd ei enwi fel y canolwr gorau yn nhwrnament Cwpan y Byd ym 1958. Tipyn o dderyn oedd Mel, ac fel y dengys ei hunangofiant byddai byth a hefyd mewn rhyw fath o drafferth. Un prynhawn Sadwrn cyrhaeddodd Gae'r Vetch cyn y gêm ar gefn cert Jac y rhaca!

Ymhlith y sêr eraill roedd Johnny King, gôl-geidwad cryf a dibynadwy, a Mel Nurse, canolwr dewr a gâi ei alw'n aml yn 'Mr Swansea'. Ond yr un a enillodd serch y cefnogwyr dros y blynyddoedd oedd Harry Griffiths, pêl-droediwr a chwaraeodd 421 o gêmau fel cefnwr, mewnwr ac asgellwr. Ymhen amser byddai'n rheolwr llwyddiannus hefyd.

Gyda'r fath ddoniau wrth law roedd pawb yn disgwyl dyddiau da. Roedd y Vetch yn llawn o sŵn wrth i'r tîm ddisgleirio yn ystod y 1950au drwy chwarae pêl-droed hynod o bert a chyflym. Yn erbyn Fulham ar 22 Tachwedd 1952 roedd pob aelod o'r tîm ond un yn Gymro, a saith ohonyn nhw wedi'u geni yn y dref. Fel y dywedodd Ivor Allchurch wrth y cefnogwyr: 'Rwy'n un ohonoch chi.' Er bod pawb yn credu bod oes aur newydd yn dod, cawson nhw siom fawr. Rhwng 1952 a 1959 methodd y clwb â chodi'n uwch na'r degfed safle yn yr Ail Adran. Mae'n wir fod y tîm wedi sgorio goliau'n gyson – er enghraifft 86 gôl yn nhymor 1954–5, ond roedden nhw'n ildio llawer iawn o goliau hefyd, yn enwedig mewn gêmau oddi cartref.

Bu farw McCandless yn sydyn ym 1955. Er i'w olynydd Ronnie Burgess, un o ffefrynnau cefnogwyr Tottenham Hotspur a Chymru, ddod yn chwaraewr a rheolwr poblogaidd, siomedig oedd y canlyniadau. O ganlyniad, penderfynodd nifer o'r sêr ymuno â chlybiau mwy llwyddiannus a chyfoethog. Aeth Cliff Jones a Terry Medwin i Tottenham Hotspur, Ivor Allchurch i Newcastle United, ac ymunodd Mel Charles ag Arsenal.

Pan gafodd Trevor Morris, cyn-reolwr Caerdydd, ei benodi'n rheolwr cyffredinol ym 1958, roedd pawb oedd yn ei nabod yn gwybod y byddai'n gwerthu'r chwaraewyr gorau er mwyn gwella sefyllfa ariannol y clwb. Yn y bôn, dyn busnes oedd Morris. Oherwydd hyn, bu'n rhaid i'r clwb roi'r gorau i'w uchelgais o ennill dyrchafiad i Adran Un. Rhaid oedd bod yn fodlon ar wylio tîm oedd yn chwarae'n ddigon dymunol, ond heb fod â digon o chwaraewyr talentog nac arweiniad i godi'n uwch yn y Cynghrair Pêl-droed. Ciliodd y clwb i'r cysgodion am flynyddoedd ar ôl colli cyfle euraid.

21

PENNOD 3: CYFNOD O DRAI

YM 1969 ENILLODD ABERTAWE y statws o fod yn ddinas a bu'n rhaid i'r cefnogwyr ddechrau arfer cyfeirio at eu tîm fel Dinas Abertawe (Swansea City). Ond prin fod yr arweiniad a roddodd bwrdd y cyfarwyddwyr, rheolwyr y clwb a'r chwaraewyr yn eu plesio. Cyfnod o drai fu'r blynyddoedd rhwng 1958 a 1975. Wedi colli sêr llachar y pumdegau, doedd llawer o'r chwaraewyr newydd ddim hanner cystal. Dros y blynyddoedd aeth nifer y cefnogwyr yn llai, yn enwedig pan lithrodd y clwb i'r Bedwaredd Adran ym 1967. Syrthiodd y clwb i ddyled fawr iawn. Ar ôl gorffen yng ngwaelod y Bedwaredd Adran ar ddiwedd tymor 1974–5, bu'n rhaid gwneud cais ffurfiol am gael parhau'n aelod o'r Cynghrair Pêl-droed. Roedd hynny'n ergyd i hunan-barch y clwb ac erbyn hynny roedd llawer iawn o gefnogwyr wedi ffarwelio â'r Vetch am byth. Dim ond 1,301 o bobl oedd yn gwylio'r tîm mewn gêm gartref yn erbyn Northampton ar 18 Medi 1973.

Eto i gyd, mae gan y rhai fu'n dilyn y clwb drwy gydol y cyfnod anodd hwn rai atgofion melys. Ar ôl ennill Cwpan Cymru am y pedwerydd tro ym 1961, cafodd Abertawe gyfle i gystadlu ar gyfandir Ewrop yng nghystadleuaeth Enillwyr Cwpan Ewrop yn ystod tymor 1961–2. Gwaetha'r modd, ar gyfer y rownd gyntaf bu'n rhaid i'r clwb chwarae'r ddau gymal yn erbyn Motor Jena o Ddwyrain yr Almaen oddi cartref. Colli'n drwm ar gyfanswm goliau fu ei hanes. Hwn, mae'n siŵr, oedd y tro olaf i dîm yn gwisgo lliwiau Abertawe ganu 'Calon Lân' ar ôl gwledd swyddogol.

Llawer mwy cofiadwy fu hynt y clwb yng Nghwpan FA Lloegr yn ystod tymor 1963–4. Dyma awr fwyaf y rheolwr, Trevor Morris. Roedd e wedi gwerthu llawer o sêr y pumdegau a chafodd yr enw o fod yn sgemiwr. Ond trwy feithrin talentau lleol a denu chwaraewyr profiadol i'r Vetch llwyddodd i greu tîm atyniadol. Prif seren y tîm a ffefryn y dorf oedd Herbie Williams, bachgen lleol tal, main a hynod dalentog. Roedd ganddo droed chwith ardderchog ac er mai fel hanerwr y byddai'n disgleirio gallai hefyd chwarae fel canolwr a blaen ymosodwr. Chwaraeodd dros 500 o gêmau cynghrair dros Abertawe ac mae'n gywilydd mai dim ond tair gêm a chwaraeodd dros ei wlad. Pleser pur oedd ei wylio.

Ac eithrio criw o Wyddelod, chwaraewyr lleol dawnus oedd asgwrn cefn y tîm. Roedden nhw'n fodlon gweithio'n galed dros ei gilydd

23

a rhoi pob cefnogaeth i'w capten ifanc, Mike Johnson. O flaen torf o 9,488 ar 4 Ionawr 1964, fe enillon nhw yn erbyn Barrow yn rhwydd yn y drydedd rownd. Ymhen tair wythnos bu'n rhaid wynebu Sheffield United, tîm cryf iawn o'r Adran Gyntaf, oddi cartref. Yn rhyfedd iawn roedd eu tîm nhw'n cynnwys yr hen ffefryn Len Allchurch, a oedd wedi'i drosglwyddo yno dridiau cyn hynny. Gêm gyfartal oedd hi a thridiau'n ddiweddarach gwasgodd dros 24,000 o gefnogwyr i mewn i'r Vetch i wylio'r gêm ailchwarae. Noson i'w chofio! Curon nhw Sheffield o bedair gôl i ddim ac roedd llawer yn dadlau mai hwn oedd perfformiad gorau'r Elyrch ers blynyddoedd maith. Ai Wembley fyddai pen y daith tybed?

Stoke City oedd y cewri nesaf i syrthio. Unwaith eto bu'n rhaid teithio i wynebu'r gelyn, ac aeth 6,000 o gefnogwyr yno i floeddio dros yr Elyrch ifanc. Er i Stanley Matthews, ac yntau'n 49 oed erbyn hynny, sgorio'r gôl gyntaf, gwrthododd Abertawe ildio. Llwyddon nhw i sicrhau gêm gyfartal 2–2, diolch i ddwy gôl wych gan Keith Todd. Erbyn hyn roedd y tîm yn llawn hyder ac yn yr ailchwarae yn erbyn Stoke ar y Vetch, o flaen torf swnllyd o 29,000, ennill unwaith eto fu eu hanes. Roedd y cefnogwyr yn fodlon anghofio'n llwyr am berfformiadau gwael y tîm yn y cynghrair, yn enwedig ar ôl tynnu enw Lerpwl allan o'r het ar gyfer y rownd gogynderfynol. Roedd y dref yn ferw gwyllt pan ledodd y newyddion, a'r unig siom oedd mai yn Anfield y byddai'r gêm.

Prin fod neb yn disgwyl llai na chrasfa ar lannau'r Merswy, er nad oedd y cyn-beilot Trevor Morris wedi anghofio rhai o'r delweddau poblogaidd a ddysgodd adeg yr Ail Ryfel Byd. 'Edrychwch ar fy nhîm,' meddai wrth aelodau o'r wasg cyn y gêm, 'crysau gwyn, siorts gwyn, coesau gwyn – a phob un ohonyn nhw'n crynu. Bechgyn. Dim ond bechgyn. Ond fe ddôn nhw oddi ar y cae yn ddynion.'

Roedd Bill Shankly, rheolwr Lerpwl, yn ffyddiog y byddai ei dîm yn chwalu'r Cymry'n rhacs. Pa obaith oedd ganddyn nhw yn erbyn cewri fel Ron Yeats, Ian Callaghan, Ian St John a sêr eraill a fyddai cyn hir yn ennill Pencampwriaeth yr Adran Gyntaf i'w tîm?

Ac eithrio 10,000 o gefnogwyr o dde Cymru, doedd neb yn credu y byddai Lerpwl yn colli ar eu maes eu hunain. Ond dyna'n union ddigwyddodd. Drwy wasgu arnyn nhw yng nghanol y cae a rhoi pob cyfle i'r ddau asgellwr chwim a thwyllodrus, Barrie Jones a Brian Evans, i ddangos eu doniau, llwyddodd Abertawe i ennill y llaw uchaf yn yr hanner cyntaf. Cyn yr egwyl roedd goliau gwych gan Jimmy McLaughlin ac Eddie Thomas wedi distewi'r cefnogwyr cartref ar y Kop yn llwyr.

Yn ystod yr ail hanner Lerpwl oedd y tîm gorau, ond cawson nhw eu rhwystro, dro ar ôl tro, gan linell gefn benderfynol y Cymry. Tu ôl iddyn nhw cafodd y gôl-geidwad, y Gwyddel Noel Dwyer, gêm i'w chofio. Gwnaeth o leiaf chwe arbediad gwyrthiol ac, er i Thompson sgorio dros Lerpwl ar ôl 63 munud, gêm Dwyer oedd hon. Cafodd tîm Lerpwl ei syfrdanu gan ei berfformiad. Naw munud cyn y chwiban olaf, roedd Ronnie Moran wedi rhyfeddu cymaint at sgiliau Dwyer yn y gôl fel yr ergydiodd gic o'r smotyn ymhell dros y trawst. Abertawe aeth â hi o ddwy gôl i un. Roedd tyrau Wembley yn nesáu.

Yn erbyn Preston North End, ar faes gwarthus o fwdlyd Aston Villa, ar 12 Mawrth 1964, roedd y gêm gynderfynol. Yn yr hen stadiwm, roedd torf enfawr o 68,000 yn bresennol. Canodd 30,000 o Jacs yn ddi-baid er gwaetha'r gwynt a'r glaw. Ond tasg anodd i'r Cymry oedd symud a lledu'r bêl yn gyflym ar gae mor drwm. Er i fechgyn Preston daclo'n ffyrnig, aeth Abertawe ar y blaen eiliadau cyn yr egwyl pan drodd McLaughlin yn sydyn ac ergydio'r bêl yn wych i gornel y rhwyd.

Gwaethygu'n ofnadwy wnaeth y cae yn ystod yr ail hanner wrth i'r glaw ddisgyn yn ddi-baid. Prin fod y cefnogwyr yn gallu nabod y chwaraewyr mwdlyd. Mantais i Preston oedd hyn gan eu bod yn chwaraewyr cryfach a mwy profiadol. Cawson nhw gic o'r smotyn dadleuol iawn a sgoriodd Dawson i ddod â'r sgôr yn gyfartal. Erbyn hyn roedd y momentwm yn gryf o blaid y Saeson. Gyda phymtheg munud yn weddill, aeth ergyd o bellter gan Singleton, canolwr Preston, dros ben Dwyer i gefn y rhwyd. Erbyn y chwiban olaf roedd chwaraewyr dewr Abertawe wedi ymlâdd, a'u gobeithion o gyrraedd yr ornest derfynol yn Wembley wedi'u chwalu'n yfflon.

Bu'r canlyniad anffodus hwn yn drobwynt mawr yn hanes y clwb. Dirywio wnaeth pethau wedyn. Roedd cyfarwyddwyr y clwb yn barod iawn i werthu chwaraewyr ifanc addawol, ond yn amharod iawn i fuddsoddi mewn chwaraewyr newydd da. Roedd tactegau Trevor Morris yn gwbl aneffeithiol ac roedd yn un gwael am drin bechgyn ifanc.

Methodd yn lân â sylweddoli fod gan un o'i brentisiaid, Giorgio Chinaglia, Eidalwr ifanc eithriadol o ddawnus, a drygionus braidd, ddyfodol disglair o'i flaen. Cael ei ryddhau fu ei hanes ond aeth Chinaglia yn ei flaen i chwarae i dîm yr Eidal sawl gwaith. Ymunodd yn y pen draw â'r New York Cosmos, gan chwarae gydag enwogion fel Pelé a Beckenbauer. Yn ôl un gohebydd, erbyn canol tymor 1964–5 roedd safon y tîm wedi 'dirywio'n ofnadwy'. Disgynnodd y clwb i'r Drydedd Adran ar ddiwedd y tymor.

Collodd Morris ei swydd ac er i Ivor Allchurch ddod 'nôl i'r clwb ym mis Gorffennaf 1965 nid oedd hyd yn oed arwr mawr y Vetch yn gallu atal y dirywiad. Cyn pen dim roedd y clwb wedi disgyn i'r Bedwaredd Adran. Pan losgodd rhan helaeth o eisteddle'r dwyrain i'r llawr ar 7 Mawrth 1968, roedd fel petai popeth yn mynd o chwith.

Ceisiodd cyfarwyddwyr newydd wella'r sefyllfa trwy benodi dau chwaraewr rhyngwladol yn eu tro i reoli'r clwb. Y cyntaf oedd Roy Bentley, a fuodd yn flaen ymosodwr i Chelsea a Lloegr. Ond er iddo lwyddo i arwain y clwb allan o'r adran isaf ar ddiwedd ei dymor cyntaf ym 1969–70, roedd yn brin iawn o ran gallu tactegol. Bu ei olynydd, y gôl-geidwad enwog Harry Gregg, yn benodiad gwael dros ben hefyd. Er iddo roi cyfle i chwaraewyr ifanc disglair fel Alan Curtis a Robbie James, creodd garfan o chwaraewyr brwnt. Gan eu bod yn synnu at y fath ddirywiad yn ymddygiad y tîm, ciliodd y torfeydd. Disgynnodd y clwb i'r Bedwaredd Adran unwaith eto ac roedd ochenaid o ryddhad i'w chlywed ar y Vetch ym mis Ionawr 1975 pan gafodd Gregg ei benodi'n rheolwr Crewe.

Ei olynydd oedd Harry Griffiths, cyn-chwaraewr eithriadol o boblogaidd a oedd hefyd wedi bod yn gapten, sgowt, hyfforddwr, ffisiotherapydd yn ogystal â rheolwr cynorthwyol yn y clwb. Roedd llawer yn credu y dylai fod wedi'i benodi i swydd y rheolwr flynyddoedd cyn hyn. Ei dasg yn awr oedd arbed enw da'r clwb a'i godi o'r gwaelodion. Ond roedd y penodiad yn rhy hwyr i osgoi'r gwarth o orffen yn y pedwar safle isaf. Bu'n rhaid gofyn i'r 91 o glybiau eraill bleidleisio o blaid cadw'r clwb yng Nghynghrair Pêl-droed Lloegr. Yn ffodus, llwyddodd yr apêl. Enillodd Abertawe fwy o bleidleisiau nag unrhyw un o'r tri chlwb arall oedd yn ymladd am eu bywyd.

PENNOD 4:
OES AUR JOHN TOSHACK

O BLITH HOLL REOLWYR Abertawe, John Benjamin Toshack oedd yr un mwyaf llwyddiannus o ddigon. Rhwng 1978 a 1981 llwyddodd i arwain y clwb allan o'r Bedwaredd Adran a dringo bob cam i'r Adran Gyntaf. Yn ôl Bill Shankly, rheolwr Lerpwl ac eilun Toshack, roedd llwyddiant y Cymro yn ddim byd llai na gwyrth. Ac er mai brodor o Gaerdydd oedd Toshack, mae Byddin y Jacs yn ei gyfrif yn arwr o hyd. Gŵr ifanc 28 mlwydd oed oedd e pan ddaeth yn rheolwr ar Ddydd Gŵyl Dewi 1978. Ymhen pedwar tymor roedd wedi llwyddo i drawsnewid y clwb yn llwyr. Heb unrhyw amheuaeth, y blynyddoedd hyn oedd oes aur pêl-droed proffesiynol yn Abertawe.

Serch hynny, Toshack fyddai'r cyntaf i gydnabod ei ddyled i'w ragflaenydd, Harry Griffiths. Rhwng 1975 a 1978 gosododd Griffiths y seiliau ar gyfer llwyddiant Toshack. Un o'r Jacs oedd Griffiths. Roedd y chwaraewyr yn ei addoli ac ar ôl gorfod dioddef tactegau brwnt Gregg cyn hynny, roedden nhw'n falch o'r cyfle i chwarae pêl-droed cyflym ac anturus unwaith eto. Os oedd Gregg yn fwli cas, rheolwr caredig ac ystyriol oedd Griffiths.

Gallai ddweud y drefn pan oedd angen, ond rhoi hyder i'w chwaraewyr a deall eu problemau oedd ei gryfder. Bu fel tad i chwaraewyr ifanc fel Alan Curtis, Robbie James a Jeremy Charles (mab Mel). Yn ystod tymor 1976–7 sgoriodd y tri hyn 51 o'r 92 gôl a rwydodd y tîm. Ar ddiwedd y tymor daeth y tîm yn agos iawn at ennill dyrchafiad. Pe baen nhw wedi ennill dim ond un pwynt arall bydden nhw wedi llwyddo.

Er bod Malcolm Struel, cadeirydd y clwb, yn cydnabod bod Harry Griffiths yn weithiwr caled dros y clwb, doedd ganddo fawr ddim ffydd yn ei allu tactegol. Gan fod Abertawe wedi ildio 84 gôl mewn gêmau cynghrair, roedd yn credu bod hyn yn profi nad oedd Griffiths yn debygol o sicrhau dyrchafiad i adrannau uwch. Ac ar ôl dechrau simsan iawn i dymor 1977–8, penderfynodd Malcolm Struel chwilio am olynydd i Harry Griffiths. Pan glywodd fod John Toshack yn awyddus i ddychwelyd i dde Cymru, yn enwedig i'w hen glwb Caerdydd, aeth ati o ddifrif i'w berswadio i dderbyn swydd fel chwaraewr a rheolwr ar y Vetch. Roedd yn benodiad gwych, er bod llawer yn teimlo bod Harry Griffiths wedi cael cam gan fwrdd y cyfarwyddwyr. Chwarae teg i Toshack, mynnodd fod ei gyfaill yn cael ei benodi'n gynorthwyydd iddo. Derbyniodd Griffiths y cynnig yn llawen.

Roedd 16 gêm yn weddill pan gydiodd Toshack yn y gwaith. Ei nod oedd ennill dyrchafiad a sicrhaodd fod pob un o'i chwaraewyr yn rhannu ei freuddwyd. Cawson nhw rediad o ganlyniadau ardderchog, diolch i dactegau ymosodol y rheolwr ifanc. Ond yna, a dwy gêm yn weddill, er mawr sioc a siom i bawb, syrthiodd Harry Griffiths yn farw ar fore'r gêm yn erbyn Scunthorpe ar 25 Ebrill 1978. Roedd yn 47 oed. Roedd y chwaraewyr a'r staff wedi torri'u calonnau a'r dagrau'n llifo yn yr ystafell wisgo. 'Os bu unrhyw un farw dros glwb pêl-droed, Harry Griffiths oedd hwnnw,' meddai Toshack. Er cof amdano ef yn gymaint â dim, gofalodd y tîm eu bod yn ennill y ddwy gêm olaf ac yn codi i'r Drydedd Adran. Doedd neb yn fwy bodlon na Malcolm Struel, ond dim ond dechrau'r daith oedd hon i John Toshack.

Ac yntau wedi ennill 40 cap dros ei wlad, wedi ennill medalau di-rif gyda Lerpwl, ac wedi manteisio ar ddoethineb rheolwyr fel Bill Shankly, Bob Paisley ac aelodau eraill o *boot room* enwog Anfield, roedd ennill yn bwysig i Toshack. 'I fyny bo'r nod,' oedd ei arwyddair a doedd e ddim am fod yn ail i neb.

Roedd yn uchelgeisiol dros y clwb a hefyd drosto'i hun. Weithiau gallai fod mor ystyfnig â mul. Ond roedd yn arweinydd i'w edmygu ac yn ddisgyblwr llym. Un yn siarad yn blaen oedd Toshack ac roedd y chwaraewyr yn gwybod pwy oedd y bòs. Gwyddai lawer am dactegau timau ar gyfandir Ewrop ac roedd yn awyddus i ddefnyddio gwahanol ddulliau o chwarae ar y Vetch. Yn ffodus, roedd gan y cyfarwyddwyr ffydd ynddo ac roedden nhw'n fodlon buddsoddi arian sylweddol iawn er mwyn cyrraedd y brig.

Mae llawer wedi dweud bod Glannau Merswy wedi dod i Abertawe yn sgil penodiad Toshack ac mae rhywfaint o wirionedd yn hynny. Er mwyn cryfhau'r garfan ar gyfer tymor 1978–9, prynodd Toshack rai o sêr mwyaf profiadol Lerpwl, gan dalu cyflogau mawr iddyn nhw. Y ddau enwocaf o ddigon oedd yr amddiffynnwr Tommy Smith a'r chwaraewr canol cae Ian Callaghan. Er bod Smith yn 33 oed, roedd enw 'Y Dyn Haearn' yn dal i godi ofn ar flaenwyr dihyder. Roedd yn enwog am ei dafod miniog a'i daclo ffyrnig. Mae rhai o gefnogwyr hŷn Abertawe yn dal i arswydo wrth gofio am dacl gan Smith a loriodd y pêl-droediwr bach dawnus o Ariannin, Ossie Ardiles, yn ystod gêm gwpan ar y Vetch ddiwedd Awst 1978.

Chwaraewr cwbl ddiflino oedd Callaghan ac un oedd yn fodlon gwneud gwaith dau ddyn.

Er bod y ddau hyn wedi gweld dyddiau gwell fel chwaraewyr, roedd Toshack yn credu y byddai eu profiad yn hanfodol, yn enwedig yn y tymor byr. Prynodd y clwb hefyd ddau Sgowsyn talentog, y blaen ymosodwr tal Alan Waddle a'r chwaraewr canol cae crefftus Phil Boersma. Yn ddiweddarach gwariodd y clwb swm enfawr o £350,000 i brynu Colin Irwin, amddiffynnwr Lerpwl, a £160,000 am Ray Kennedy, un o gyn-sêr Arsenal a ffefryn mawr yn Anfield. Aeth Toshack ar drywydd sêr Everton hefyd, a'i fargen orau o ddigon oedd arwyddo Bob Latchford, blaen ymosodwr campus oedd yn gwybod ble roedd y gôl. Byddai'n sgorio 35 gôl dros yr Elyrch.

Edrychodd Toshack hefyd am dalent yn nwyrain Ewrop lle'r oedd ambell fargen ardderchog ar gael. Llwyddodd i ddenu dau o chwaraewyr gorau Iwgoslafia, y naill o Velez Mostar a'r llall o Sarajevo. Cefnwr chwith chwim a chystadleuol oedd Džemal ('Jimmy' i bawb yn Abertawe) Hadžiabdić. Canolwr grymus ac awdurdodol oedd Ante Rajković. Bu'r ddau nid yn unig yn llwyddiant ar y cae, ond hefyd yn gryn ffefrynnau ymhlith y cefnogwyr. Felly roedd acenion dieithr iawn i'w clywed yn ystafell wisgo'r Vetch.

Ond rhaid cofio bod Toshack hefyd yn awyddus iawn i feithrin talent leol a denu yn ôl i Gymru rai o chwaraewyr rhyngwladol gorau ei famwlad. Byddai'n cyfeirio'n aml at y tri ymosodwr Alan Curtis, Robbie James a Jeremy Charles fel 'fy ngemau'. Gwyddai'n dda hefyd am ddoniau amddiffynnol bechgyn lleol fel Wyndham Evans, Dudley Lewis a Nigel Stevenson. Dros gyfnod o dair blynedd prynodd nifer o Gymry disglair a oedd yn falch o'r cyfle i chwifio'r Ddraig Goch yn yr ystafell wisgo.

Perswadiodd Dai Davies, brodor o Rydaman a gôl-geidwad profiadol Wrecsam a Chymru, i ddychwelyd i'r Vetch i gryfhau'r amddiffyn. Er i 'Dai the Drop' gael ei wawdio gan rai, roedd gan y rheolwr bob ffydd ynddo. Ef yw'r unig gôl-geidwad yn hanes y clwb i'w urddo'n dderwydd gan Orsedd Beirdd Ynys Prydain! O'i flaen roedd Leighton Phillips yn chwarae fel ysgubwr yng nghanol y llinell gefn. O'i flaen yntau roedd John Mahoney, cefnder i Toshack, fel petai'n gwneud gwaith dau ddyn.

Yn y llinell flaen byddai David Giles yn rhedeg fel milgi ac roedd Ian Walsh yn sgoriwr greddfol a chyffrous. Cymeriad a hanner oedd yr asgellwr disglair Leighton James, brodor o Gasllwchwr a fu'n gymaint o ffefryn ymhlith dilynwyr Burnley cyn iddo droi tua thre ym mis Mai 1980. Byddai'n mwynhau dweud wrth bawb oedd yn fodlon gwrando mai ef oedd yr asgellwr gorau yn y byd. Rhwng popeth gwariodd Toshack tua £1.2 miliwn ar chwaraewyr newydd yn ystod ei gyfnod fel rheolwr Abertawe. Roedd hwnnw'n swm aruthrol o fawr ac yn fwy o lawer na'r hyn a gafodd unrhyw un o'i ragflaenwyr yn y swydd. Pa ryfedd fod y disgwyliadau mor uchel.

Aeth y clwb o nerth i nerth yn ystod tymor 1978–9. Erbyn Dydd Calan roedd Toshack yn ddigon bodlon bod ei dîm yn y trydydd safle. Ond collodd ei dymer yn lân pan ddechreuodd y tîm ildio pwyntiau'n ddiangen a llithro i lawr y Drydedd Adran. Torrodd Boersma ei figwrn gyda saith gêm yn weddill, ond erbyn hynny roedd pethau wedi dechrau troi o blaid Abertawe unwaith eto.

Ar 11 Mai 1979 daeth tyrfa gref o dros 22,000, y mwyaf i'w gweld ar y Vetch er 1971, i wylio gêm bwysig iawn yn erbyn Chesterfield. Er mwyn ennill dyrchafiad roedd yn rhaid i Abertawe ennill. Tawelodd y dorf pan aeth Chesterfield ar y blaen. Ond llwyddodd Waddle i ddod â'r sgôr yn gyfartal, a gydag ugain munud yn weddill daeth Toshack ei hun oddi ar fainc yr eilyddion i ymuno â'r llinell flaen. Er i Abertawe daflu pob dim atyn nhw, roedd Chesterfield yn dal i gystadlu am bob pêl. Yna, pum munud o'r diwedd, cododd Toshack uwchlaw pawb i benio cic rydd i'r rhwyd ac ennill y gêm. Unwaith eto roedd y rheolwr ifanc wedi dangos bod ganddo'r gallu i droi popeth yn aur. Sgoriodd Abertawe 83 gôl yn ystod y tymor a gorffen yn y trydydd safle.

Y tymor canlynol rhaid oedd cymryd stoc. Ergyd i'r clwb fu colli Alan Curtis a oedd wedi dyheu ers tro am gael chwarae ar lefel uwch. Ymunodd â Leeds United am £400,000, y ffi uchaf i Abertawe ei derbyn yn hanes y clwb. Ond ni chollodd cefnogwyr Banc y Gogledd ddagrau pan benderfynodd Tommy Smith roi'r gorau i'w yrfa. Er i'r clwb fanteisio ar ei brofiad a'i allu i godi arswyd ar ymosodwyr, doedd ei ddull o chwarae ddim yn gweddu i ffordd Abertawe o chwarae pêl-droed. Dal i gryfhau ei dîm roedd Toshack pan orffennodd y clwb y tymor yn y 12fed safle.

Erbyn Awst 1980 roedd y clwb yn barod i frwydro am ddyrchafiad unwaith eto. Un ymwelydd cyson â'r Vetch yn ystod y misoedd nesaf oedd Bill Shankly, cyn-reolwr Lerpwl. Byddai Toshack yn dibynnu'n drwm ar ei

gyngor tactegol a'i allu i godi'r ysbryd yn yr
ystafell wisgo. Wedi dechrau simsan braidd
cododd gobeithion y clwb wrth i Alan Curtis
ddychwelyd yng nghanol mis Rhagfyr. Erbyn
Gŵyl San Steffan roedd y tîm wedi cyrraedd yr
ail safle. Ond er mawr siom i bawb, collodd y
chwaraewyr eu hawydd i ymladd am y bêl wedi
hynny. Gwylltiodd Toshack a phenodi John
Mahoney, un o'i ymladdwyr dewraf, yn gapten.
Daeth tro ar fyd ac erbyn y gêm olaf, yn erbyn
Preston ar 2 Mai 1980, roedd yn rhaid ennill
y ddau bwynt er mwyn sicrhau dyrchafiad i'r
Adran Gyntaf.

Diwrnod i'w gofio fu hwnnw. Teithiodd dros
ddeg mil o gefnogwyr i Deepdale i wynebu
tîm yr enwog Nobby Stiles. Gan fod Preston
yn ymladd i osgoi disgyn i'r Drydedd Adran,
roedd dyfodol y ddau glwb yn y fantol. Roedd
Abertawe'n barod am y frwydr a bu Toshack yn
ddigon dewr i ddewis tîm ymosodol. Canodd
cefnogwyr y clwb yn hwyliog trwy gydol y gêm,
a diolch i goliau cofiadwy gan Leighton James,
Tommy Craig a Jeremy Charles, enillon nhw'r
ornest yn gymharol gyfforddus o dair gôl i un.
Bu dathlu mawr hyd at oriau mân y bore. O'r
diwedd roedd Abertawe wedi cyrraedd yr Adran
Gyntaf a hynny am y tro cyntaf yn hanes y
clwb. Pa ryfedd i Bill Shankly honni mai camp

John Toshack oedd y fwyaf erioed yn hanes y bêl gron.

Honnodd nifer o ohebwyr snobyddlyd y wasg yn Llundain na fyddai tîm John Toshack yn gallu cystadlu yn erbyn y clybiau mawr. Ond roedd pêl-droedwyr Abertawe yn fwy na pharod am yr her ac yn benderfynol o lynu wrth eu dull ymosodol o chwarae. Ar ddiwrnod cyntaf y tymor, o flaen torf o 24,000 a than heulwen braf, llwyddon nhw i guro Leeds 5–1 ar y Vetch. Sgoriodd Latchford deirgwaith ac roedd y bumed gôl gan Curtis yn un o'r goliau gorau erioed i'w sgorio yn Abertawe. Yn ystod y misoedd canlynol enillon nhw yn erbyn Spurs, Arsenal, Lerpwl, Manchester United, Aston Villa a nifer o dimau enwog eraill. Wrth ddathlu'r Nadolig roedd tîm Toshack ar frig y tabl ac yn ystod y flwyddyn newydd cawson nhw rediad o naw gêm yn ddiguro.

Colli peth tir fu eu hanes wedyn, ond wedi curo Wolves yn Molineux ar 20 Mawrth 1982 dringodd yr Elyrch i frig y tabl unwaith eto. Meddai Toshack: 'Digon yw dweud ein bod yn falch bod 91 o dimau oddi tanon ni.' Ond, o ganlyniad i anafiadau a blinder, collon nhw'r ras am y bencampwriaeth. Roedd Lerpwl yn feistri ar bawb erbyn y gwanwyn. Ar ôl colli pum o'u chwe gêm olaf gorffennodd Abertawe yn y chweched safle. Eto i gyd, gallai Toshack a'i chwaraewyr ymfalchïo yn yr hyn a gafodd ei gyflawni. Roedd enw Abertawe ar wefusau pawb ac roedd Toshack eisoes yn cael ei gyfrif yn arwr.

PENNOD 5: DYDDIAU DU

Er gwaetha'r perfformiad da iawn yn y tymor cyntaf yn yr Adran Gyntaf a'r cynlluniau mawr ar gyfer y dyfodol, roedd hi'n dod yn fwyfwy amlwg fod y clwb yn wan iawn yn ariannol. Ni phrynwyd unrhyw chwaraewyr newydd yn ystod haf 1982, yn bennaf am fod y Cynghrair Pêl-droed wedi gwahardd y clwb rhag gwario rhagor. Byddai'n rhaid iddyn nhw dalu'r arian oedd yn ddyledus i glybiau eraill cyn cael chwaraewyr newydd. Roedd y cyfarwyddwyr wedi disgwyl llenwi'r Vetch ym mhob gêm gartref yn y tymor blaenorol. Ond siomedig fu'r gefnogaeth ar gyfer y gêmau yn erbyn timau mwy cyffredin yr Adran Gyntaf. Roedd y dyledion yn cynyddu'n gyflym ac erbyn mis Tachwedd roedd y ddyled tua dwy filiwn o bunnoedd.

I ychwanegu at eu trafferthion dioddefodd y tîm anafiadau difrifol. Daeth gyrfa Colin Irwin i bob pwrpas i ben pan dorrodd ei ben-lin wrth chwarae yn erbyn Aston Villa ym mis Medi. Yn ogystal cafodd Curtis, Kennedy a Mahoney anafiadau difrifol yn ystod y tymor. Yn ôl y si hefyd, roedd drwgdeimlad rhwng y Cymry lleol yn y garfan a'r chwaraewyr dŵad oedd yn ennill cyflogau uwch.

41

Gwaethygu wnaeth y berthynas rhwng Toshack a'r chwaraewyr hŷn wrth i'r tîm lithro i lawr y tabl. Pan oedd y clwb yn llwyddiannus, byddai gwên i'w gweld ar wynebau'r chwaraewyr ac roedd Toshack yn arweinydd campus, uchel ei barch. Ond pan ddechreuodd y tîm golli, doedd ganddo ddim digon o amynedd na chydymdeimlad i ddatrys problemau'r chwaraewyr. Yn ôl Dai Davies: 'Wedi i ni golli gêm roedd gweld John Toshack yn brofiad hollol druenus. Bron iawn na allech chi ddweud bod ei ên yn cyffwrdd â'r llawr, ac yn groes i'r hyn ddylai ddigwydd, ni'r chwaraewyr oedd yn gorfod codi ei galon e!'

Yn hytrach na cheisio tawelu pethau, penderfynodd Toshack werthu nifer o'r sêr mwyaf profiadol a rhoi cyfle i'r chwaraewyr ifanc lleol. Camgymeriad mawr oedd hynny. Cam annoeth arall oedd penodi Harry Gregg yn rheolwr cynorthwyol, gan ei fod wedi gwylltio'r staff a'r cefnogwyr ychydig flynyddoedd cynt. Ymhen dau fis roedd Gregg wedi'i ddiswyddo unwaith eto. Er mawr ofid i'r cefnogwyr, roedd y dyddiau da yn dod i ben ac ar ddiwedd y tymor, ar ôl cyfnod byr, collodd Abertawe ei lle yn yr Adran Gyntaf. Yng nghwmni Manchester City a Brighton, disgynnodd y clwb yn ôl i'r Ail Adran. Roedd y freuddwyd fawr ar ben.

Dros yr ugain mlynedd nesaf aeth pethau o ddrwg i waeth. Talodd y clwb yn ddrud am wario cymaint wrth geisio cyrraedd y brig pan oedd John Toshack yn rheolwr. Roedden nhw wedi rhoi gormod o ryddid iddo i ddilyn ei freuddwyd. Ymddiswyddodd Malcolm Struel a than arweiniad y cadeirydd newydd, Doug Sharpe, gŵr busnes lleol, cafodd rhai o'r chwaraewyr drutaf a mwyaf dawnus eu gwerthu. Heb eu chwaraewyr gorau roedd y tîm yn fwy tebyg i dîm ieuenctid. Ymddiswyddodd Toshack ar 29 Hydref 1983 ond, er syndod i bawb, ymhen 53 niwrnod cafodd ei wahodd yn ôl i ailgydio yn y gwaith. Ond chafodd e fawr o lwyddiant, ac fe gollodd ei swydd unwaith eto ym mis Mawrth 1984. Roedd yr awyrgylch yn y clwb, yn enwedig ymhlith y cyfarwyddwyr, yn ddigon cecrus erbyn hyn. Diflannodd y torfeydd ac ar ôl colli yn Amwythig ar 24 Ebrill 1984, disgynnodd y clwb i'r Drydedd Adran.

Yn ôl un o'r cyfarwyddwyr, roedd y clwb yn gwaedu i farwolaeth. Ni lwyddodd rheolwyr profiadol fel Colin Appleton a John Bond i atal y dirywiad, er i dîm Bond osgoi disgyn am y trydydd tymor yn olynol trwy ennill pwynt gartref yn erbyn Bristol City ar 17 Mai 1985. Ond erbyn diwedd y flwyddyn roedd y sefyllfa ariannol yn echrydus. Ar ddydd

Gwener, 20 Rhagfyr, trwy orchymyn yr Uchel Lys yn Llundain, cafodd y clwb ei ddirwyn i ben. Abertawe oedd y clwb cyntaf i ddiflannu o'r Cynghrair Pêl-droed ers Accrington Stanley 23 mlynedd ynghynt. Diolch i benderfyniad creulon yr Ustus Harman aeth arswyd drwy'r ddinas. Roedd pêl-droed proffesiynol yn Abertawe wedi dod i ben ar ôl 73 o flynyddoedd. Y pennawd syfrdanol yn yr *Evening Post* oedd: 'Swans – It's the End'.

Ond, diolch i'r drefn, cafodd y clwb ei achub. Daeth gŵr busnes, Peter Howard, â'r cefnogwyr mwyaf brwd at ei gilydd a chodi £60,000 mewn ychydig ddyddiau. Gweithiodd y cyn-chwaraewr Mel Nurse yn ddiflino hefyd dros achos oedd mor agos at ei galon. Wrth apelio yn erbyn y dyfarniad, llwyddodd Doug Sharpe i lunio pecyn ariannol digon cryf i fodloni'r Uchel Lys. Beth bynnag oedd beiau Sharpe – ac roedd ganddo ei wendidau a'i elynion – llwyddodd i gadw'r clwb yn fyw. Ond roedd hi'n rhy hwyr i achub y clwb rhag disgyn i'r Bedwaredd Adran, lle roedd taith John Toshack i'r brig wedi cychwyn naw mlynedd ynghynt.

Ar ôl y fath helynt bu'r clwb yn ffodus i ddenu Terry Yorath i gymryd swydd y rheolwr ganol haf 1986. Roedd gan Yorath record

ardderchog fel chwaraewr dros Leeds a Chymru
a byddai Don Revie yn dweud mai ef oedd un
o'r darpar hyfforddwyr gorau ar ei staff. Ond,
o ganlyniad i streic y glowyr ym 1984–5, roedd
y sefyllfa economaidd yng Nghwm Tawe yn
fregus iawn a gwaith anodd dros ben oedd
denu'r ffyddloniaid yn ôl i'r Vetch. Eto i gyd,
gyda chymorth chwaraewyr lleol fel Robbie
James (oedd wedi dychwelyd o Leicester City),
Andy Melville a Chris Coleman, a'r asgellwr
dawnus Tommy Hutchison, dechreuodd y tîm
ennill gêmau oddi cartref. Ar ddiwedd tymor
1987–8 fe lwyddon nhw i gyrraedd y gêmau ail
gyfle. Sgoriodd Sean McCarthy gôl ym mhob
un o'r gêmau allweddol hynny, gan gynnwys
gôl yn erbyn Torquay, a sicrhau dyrchafiad
i'r Drydedd Adran. Wedi pum mlynedd o
ddiflastod a chwyno di-baid, roedd gan y clwb
a'r cefnogwyr rywbeth i'w ddathlu. Oedd yr
Elyrch am hedfan i frig Cynghrair Pêl-droed
Lloegr unwaith yn rhagor?

Ond roedd Doug Sharpe yn benderfynol o
gadw llygad manwl ar yr arian a sicrhau na
fyddai'r clwb yn peryglu ei dyfodol unwaith
eto drwy or-wario. Felly bu'n rhaid gwerthu
sawl chwaraewr dawnus – er enghraifft, aeth
Colin Pascoe i Sunderland a Sean McCarthy
i Plymouth. Prin fod y chwaraewyr a ddaeth

yn eu lle o'r un safon, felly collodd Yorath
ei amynedd a chymryd swydd newydd fel
rheolwr yn Bradford City.

Eto i gyd, roedd gan y clwb uchelgais o hyd.
Yn ystod haf 1990 dangosodd Sharpe gynllun
cyffrous ar gyfer y dyfodol, sef gadael y Vetch
henffasiwn am gartref newydd crand yn y
Morfa yng Nghwm Tawe. Ond ni ddangosodd
Cyngor y Ddinas unrhyw frwdfrydedd ynglŷn
â'r cynllun a'r un oedd ei ymateb ym 1995 pan
ddaeth cynllun tebyg o'i flaen. Yr ofn oedd
fod diffyg gweledigaeth cynghorwyr y ddinas
yn rhoi esgus i'r clwb fyw yn y gorffennol a
gadael i bethau lithro. Bu Ian Evans, olynydd
Yorath, yn fethiant a phan ddychwelodd
Yorath am yr eildro ni chafodd e fawr gwell
hwyl arni chwaith.

Yn y nawdegau cafodd y clwb ei achub gan
Frank Burrows, Albanwr a fu'n rheolwr rhwng
1991 a 1995. Er gwaetha'i wyneb brawychus
a'i acen ddieithr, roedd Burrows yn deall y gêm
i'r dim ac yn gwybod sut i dynnu'r gorau allan
o'r chwaraewyr. Er mai prin oedd yr arian yn y
clwb, llwyddodd i ddenu chwaraewyr medrus
iawn fel John Cornforth, Roger Freestone a
John Williams i'r Vetch a hefyd i ailgipio Colin
Pascoe o Sunderland. Enillodd gryn barch
drwy roi sefydlogrwydd i'r clwb unwaith eto.

Ar ôl gorffen yn y pumed safle ar ddiwedd tymor 1992–3, daeth awr fawr Burrows ym mis Mai 1994 pan lwyddodd Abertawe i gyrraedd Wembley am y tro cyntaf yn ei hanes a chipio Tlws Autoglass. Huddersfield, tîm y rheolwr cegog Neil Warnock, oedd y gwrthwynebwyr a daeth torf swnllyd o 49,000 yno i wylio'r gêm fwyaf yn hanes y clwb ers dyddiau Toshack. A'r sgôr yn gyfartal 1–1 ar ddiwedd y 90 munud ac wedi amser ychwanegol, bu'n rhaid setlo'r mater trwy giciau o'r smotyn. Diolch i arbediad gan y gôl-geidwad Roger Freestone, cipiodd Abertawe y tlws, a bu dathlu mawr yn Llundain y noson honno.

Gwaethygu'n ddifrifol, er hynny, wnaeth pethau pan ffarweliodd Burrows ag Abertawe ym mis Medi 1995. Yn ystod y cyfnod rhwng Awst 1995 a haf 1998 penododd y clwb chwe rheolwr yn eu tro, sef Bobby Smith, Kevin Cullis, Jimmy Rimmer, Jan Molby, Micky Adams ac Alan Cork. Roedd y clwb yn destun sbort yng ngolwg y cyhoedd wrth benodi rhywun fel Cullis, gan mai rheolwr tîm ieuenctid Cradley Heath yng Nghanolbarth Lloegr oedd e. Ers sefydlu'r clwb ym 1912, dyma'r rheolwr mwyaf anobeithiol a fu yno. Daliodd y swydd am wythnos yn unig cyn i'r chwaraewyr dig ei erlid o'r Vetch.

Y rheolwr mwyaf llwyddiannus yn ystod y blynyddoedd diflas hyn oedd Jan Molby, un o gyn-chwaraewyr disgleiriaf Lerpwl a Denmarc a ddaeth yn chwaraewr ac yn rheolwr ar y clwb ym mis Chwefror 1996. Erbyn hynny roedd hi'n rhy hwyr iddo arbed y clwb rhag disgyn i'r Drydedd Adran unwaith eto. Ond roedd Jan Molby yn ŵr deallus a charismataidd. Ac yntau'n gwisgo lliwiau Abertawe, hawdd y gallai'r dorf gredu bod olynydd i Ivor Allchurch wedi cyrraedd. Roedd Molby'n gallu rheoli llif y chwarae yn hynod gelfydd trwy basio'r bêl yn bert a'i chadw dan reolaeth hyd yn oed pan oedd dan bwysau trwm. Oddi ar y cae roedd yn feistr llym iawn, fel y darganfu rhai o'r chwaraewyr ifanc.

Ar ddiwedd ei dymor cyntaf daeth Molby yn agos iawn at ennill dyrchafiad trwy arwain y tîm at ornest ail gyfle yn erbyn Northampton yn Wembley ym mis Mai 1997. A'r haul yn tywynnu drwy'r prynhawn, roedd gobeithion y cefnogwyr yn uchel. Ond ar faes eang Wembley, camgymeriad gan Molby fu defnyddio system mor agored â 4–3–3 wrth chwarae. Eto i gyd, agos iawn fu hi tan yr eiliadau olaf. Sgoriodd Northampton unig gôl y gêm wedi i'r dyfarnwr roi cic rydd ddadleuol wrth ymyl y cwrt cosbi a chaniatáu iddyn nhw gymryd y gic ddwywaith.

Yn ôl Molby, colli yn Wembley oedd siom fwyaf ei yrfa.

Ond roedd ergyd arall i'w hunan-barch i ddod. Ymddiswyddodd y cadeirydd, Doug Sharpe, ar ddiwedd y gêm a daeth y clwb i ddwylo Silver Shield plc, cwmni a ddaeth yn fwy enwog yn ddiweddarach fel Ninth Floor Ltd. Penderfynodd Steve Hamer, cadeirydd newydd y clwb, nad oedd Jan Molby yn 'Toshack newydd' ac fe gafodd hwnnw ei ddiswyddo ar 8 Hydref 1997. Ar ôl dim ond pythefnos fel rheolwr ymddiswyddodd Micky Adams mewn dychryn. Ei olynydd oedd Alan Cork. Mynd fu raid iddo yntau hefyd ar ôl i'r cefnogwyr wrthwynebu ei ymgais i ddod â dulliau caled tîm pêl-droed Wimbledon i'r Vetch yn ystod tymor 1997–8. Pa ryfedd fod pobl yn gwneud hwyl am ben y clwb.

Yn ystod haf 1998, serch hynny, cododd gobeithion y cefnogwyr unwaith yn rhagor pan gafodd John Hollins, cyn-chwaraewr Chelsea a Lloegr, ei benodi'n rheolwr. Roedd Dave, ei frawd hŷn, eisoes wedi ennill 11 cap fel gôl-geidwad Cymru, ac roedd pawb yn disgwyl gweld chwarae pert gan dîm y rheolwr newydd. Yn ddoeth iawn, gofynnodd Hollins i Alan Curtis, ffefryn y dorf, ei gynorthwyo. At hynny, cafodd masgot newydd ei gyflwyno, sef Cyril the Swan, alarch drygionus a abseiliodd i mewn i'r Vetch wrth ymddangos yno am y tro cyntaf. Treuliodd ran helaeth o'r tymor yn pryfocio rheolwyr a chefnogwyr gwrthwynebwyr Abertawe. Ar adegau câi'r alarch fwy o sylw gan y wasg na'r tîm ei hun.

Beth bynnag am hynny, llwyddodd Hollins i ennill parch y cefnogwyr trwy fynnu bod ei chwaraewyr yn pasio'r bêl yn gelfydd ac yn gyflym. Yn wir, daeth yn arwr wedi i Abertawe guro Caerdydd o ddwy gôl i un ar y Vetch ac yna curo West Ham United mewn gêm ailchwarae yn nhrydedd rownd Cwpan FA Lloegr. Roedd y naws yn drydanol wrth groesawu'r clwb o Lundain i'r Vetch ym mis Ionawr 1999. Roedd yr Elyrch eisoes wedi sicrhau gêm gyfartal ym Mharc Upton ac roedd dros 11,000 o Jacs brwd a swnllyd yn hyderus mai noson Abertawe fyddai hon. Trwy gydol y gêm roedd yr asgellwr Stuart Roberts yn seren a phan sgoriodd Martin Thomas y gôl fuddugol roedd y fonllef yn fyddarol. Roedd graen ar chwarae Abertawe yn y cynghrair hefyd. Bu ond y dim i'r tîm gyrraedd y rowndiau ailchwarae ar ddiwedd y tymor. Petai cyflwr hen gae annwyl y Vetch wedi bod yn well, pwy a ŵyr na fyddai Hollins wedi arwain ei dîm allan o'r Drydedd Adran ar ddiwedd ei dymor cyntaf.

Ymhen blwyddyn, serch hynny, cyrhaeddon nhw'r nod, yn bennaf trwy ddefnyddio tactegau mwy amddiffynnol. Byddai'r chwaraewyr yn brwydro am bob pêl, yn wir yn rhy frwd ar brydiau. Er enghraifft, ar 23 Tachwedd 1999 daeth Walter 'Blacka' Boyd, blaenwr Jamaica, i'r maes fel eilydd. Hyd yn oed cyn i'r gêm ailddechrau roedd Boyd wedi derbyn cerdyn coch am daro un o chwaraewyr Darlington!

Er gwaethaf hyn, mynd o nerth i nerth a wnaeth yr Elyrch. Trwy sicrhau gêm gyfartal ar faes Millmoor yn Rotherham ar Sadwrn olaf tymor 1999–2000, enillon nhw bencampwriaeth y Drydedd Adran. Hwn oedd y tro cyntaf i'r clwb ennill unrhyw bencampwriaeth er 1948. Ond daeth tristwch hefyd pan fu farw Terry Coles, un o gefnogwyr Abertawe, wedi iddo gael ei daro droeon gan un o geffylau Heddlu De Swydd Efrog ar ddiwedd y gêm. Aeth pedair blynedd a hanner heibio cyn i ymchwiliad ddod i'r casgliad fod tri aelod o'r heddlu wedi methu gwneud eu dyletswydd ar y prynhawn trist hwnnw.

Cyn bo hir roedd cymylau duon unwaith yn rhagor uwchben y Vetch. Am ryw reswm, fanteision nhw ddim ar y cyfle i gryfhau'r tîm dros yr haf. Doedd y perchnogion newydd ddim yn barod i fuddsoddi mewn chwaraewyr newydd. Ac, yn rhyfedd iawn, roedd Hollins ei hun yn credu bod y garfan eisoes yn ddigon cryf i ddal ei thir. Bu'n rhaid talu'n ddrud am y diffyg uchelgais hwn. Tymor eithriadol o siomedig gawson nhw, ac ar ôl disgyn i'r Drydedd Adran cafodd y clwb ei roi ar y farchnad. Ni ddangosodd fawr neb ddiddordeb ynddo ac yn y diwedd cafodd ei werthu am bunt i Mike Lewis, cyn-gyfarwyddwr masnachol y clwb.

Wedi dechrau siomedig i dymor 2001–2, collodd Hollins ei swydd a chafodd Colin Addison ei benodi yn ei le. Yna, yn gynnar ym mis Hydref 2001, daeth y newyddion syfrdanol fod y clwb wedi'i werthu unwaith eto, am bunt i Tony Petty. Gŵr o Lundain oedd e, cymeriad digon brith, a dweud y gwir, â chanddo gysylltiadau busnes yn Awstralia. Cyn pen dim cyhoeddodd Petty fod pob aelod o'r garfan ar werth. Cododd storm o brotest ymhlith y cefnogwyr a bu sawl gorymdaith drwy'r ddinas. Roedd cannoedd o gefnogwyr yn gwrthwynebu.

Erbyn hyn roedd y we fyd-eang hefyd yn bwysig yn yr ymgyrch yn erbyn Petty. Diolch i waith Phil Sumbler a'i wefan heriol JackArmy, llwyddodd carfan gref o'r protestwyr i sefydlu Ymddiriedolaeth Cefnogwyr y clwb. Y nod wedi hynny oedd cael gwared ar Petty trwy brynu'r clwb. Yn gynnar yn 2002 cafodd consortiwm lleol ei greu i ofalu bod gan y cefnogwyr lais cryf ar fwrdd y cyfarwyddwyr. Roedd clwb pêl-droed Abertawe yn dal mewn bod – am y tro beth bynnag.

PENNOD 6: FLYNN A JACKETT

Dechreuodd yr adfywiad yn hanes yr Elyrch yn 2002–3. Roedd gan y clwb gadeirydd newydd. Er mai yn Walthamstow y cafodd Huw Jenkins ei eni, cafodd ei fagu ar gyrion Abertawe. Daeth yn ddyn busnes llwyddiannus. Roedd ganddo hefyd gefnogaeth Ymddiriedolaeth y Cefnogwyr. Sylweddolodd Jenkins yn fuan iawn fod angen rheolwr profiadol ar y clwb. Yn ystod ail hanner tymor 2001–2 roedd Nick Cusack, cyn-gapten y clwb, wedi'i benodi i'r swydd. Er ei fod yn ddyn deallus a phoblogaidd, doedd ganddo ddim profiad fel rheolwr. Erbyn diwedd Medi 2002, roedd Abertawe ar waelod y Cynghrair Pêl-droed am y tro cyntaf yn ei hanes.

Yn amlwg iawn roedd angen rheolwr llwyddiannus ar y clwb, un â record dda fel hyfforddwr. Y rheolwr ar y Cae Ras yn Wrecsam oedd un o'r goreuon yn y maes ac erbyn diwedd Medi roedd Brian Flynn a'i gynorthwyydd Kevin Reeves wedi ymuno â chlwb y Vetch. Brodor o Bort Talbot oedd Flynn. Er mai dyn bychan iawn ydoedd, bu'n chwaraewr canol cae effeithiol iawn gyda Burnley a Leeds. Enillodd y cyntaf o'i 66 cap dros Gymru fel eilydd yn erbyn Lwcsembwrg ar y Vetch ym 1974. Roedd gan gefnogwyr Wrecsam feddwl uchel iawn ohono a sawl un yn credu y byddai'n rheoli'r tîm cenedlaethol cyn bo hir.

Mae'n amlwg fod Huw Jenkins a'r cyfarwyddwyr eraill yn awyddus i weld Abertawe yn chwarae pêl-droed cyflym a chyffrous. Roedd Flynn yr un mor benderfynol o blesio'r cefnogwyr. Ond y dasg bwysicaf oedd codi'r tîm o waelod y Cynghrair Pêl-droed. Rhaid oedd prynu neu fenthyg chwaraewyr galluog iawn. Daeth Roberto Martinez o Walsall, Leon Britton o West Ham United, Alan Tate o Manchester United, Lenny Johnrose o Bury a Kevin Nugent o Leyton Orient i gryfhau'r garfan. Wedi'r flwyddyn newydd roedd ychydig o oleuni i'w weld. Ond Pasg i'w anghofio gawson nhw. Colli fu'r hanes oddi cartref yn Leyton Orient ac ar ôl colli 0–1 gartref yn erbyn Exeter roedd y tîm mewn trafferthion unwaith eto. Roedd pedwar tîm – Abertawe, Amwythig, Carlisle ac Exeter – yn brwydro i osgoi'r ddau safle ar waelod y tabl.

Aeth mil o gefnogwyr i Rochdale i wylio'r gêm olaf ond un. Rywsut neu'i gilydd, cafodd Abertawe fuddugoliaeth o ddwy gôl i un. Ond gan fod Exeter hefyd wedi ennill, roedd yn rhaid i Abertawe ennill ei gêm olaf yn erbyn Hull City ar 3 Mai 2003. Hon, heb os, oedd y gêm bwysicaf erioed yn hanes y clwb. Trychineb fyddai ei cholli. Roedd Hull ymhlith goreuon yr adran ac yn debygol o frwydro hyd yr eithaf. Am awr a hanner hir a dramatig, roedd 9,585 o bobl yn y dorf ar bigau'r drain.

Yn yr ystafell wisgo mynnodd Alan Curtis, cynorthwyydd Flynn, ddweud gair cyn y gêm. Soniodd am bwysigrwydd y clwb iddo ef a'r cefnogwyr, am hanes y clwb ac am fawrion y gorffennol. Cyfeiriodd yn arbennig at Brian Evans, cyn-asgellwr dawnus Abertawe yn y 1960au a thad Richard, ffisiotherapydd y clwb. Ychydig wythnosau cyn iddo farw, roedd y cyn-seren wedi gweddïo y byddai dinas Abertawe yn diogelu ei lle yn y Cynghrair Pêl-droed. Erbyn i Curtis orffen ei araith emosiynol roedd y chwaraewyr yn fodlon brwydro i'r eithaf dros y clwb.

Yn gynnar yn y gêm aeth Abertawe ar y blaen pan sgoriodd James Thomas, blaenwr 24 oed o Dreforys, o'r smotyn. Ond gwrthododd Hull ildio a chyn pen dim roedden nhw ar y blaen o ddwy gôl i un. Oni bai am arbediad gwych gan Neil Cutler, gôl-geidwad Abertawe, byddai Hull wedi estyn eu mantais. Yna, eiliadau cyn yr egwyl, cafodd Abertawe gic arall, dadleuol braidd, o'r smotyn. Unwaith eto camodd James Thomas ymlaen a saethu'r bêl i'r rhwyd.

Rhoddodd y gôl honno hwb i Abertawe yn yr ail hanner. Sgoriodd Lenny Johnrose i roi Abertawe ar y blaen. A phan rwydodd James Thomas, arwr y dydd, ei drydedd gôl trwy godi'r bêl yn hyfryd dros y gôl-geidwad, roedd hi'n bosib clywed bloedd y dorf yn y Mwmbwls. Enillon nhw'r gêm o 4 gôl i 2, ac roedd y rhyddhad i'w deimlo mor gryf nes gwneud i ddwsinau o gefnogwyr y Jacs lefain y glaw ar ddiwedd y gêm. Roedd Brian Flynn yn wên o glust i glust. Ni fu raid i James Thomas brynu peint o gwrw yn y ddinas am flynyddoedd lawer wedi hynny.

Ar gyfer tymor 2003–4 gwnaeth Brian Flynn gymwynas fawr â'r clwb trwy berswadio Lee Trundle, blaenwr dawnus Wrecsam, i ddod i'r Vetch. Roedd 'Magic Daps', fel y câi Lee Trundle ei alw, yn llawn triciau rhyfeddol ar y cae. Trwy sgorio goliau cofiadwy, bron y cyfan â'i droed chwith, daeth yn un o arwyr y cefnogwyr ar Fanc y Gogledd yn y Vetch ac yn Stadiwm Liberty wedi hynny. Câi bob rhyddid gan Flynn i ddangos ei sgiliau, fel yn wir y câi Andy Robinson, asgellwr cryf a chymeriad tanbaid oedd hefyd yn frodor o Lannau Merswy. Gyda Roberto Martinez yn gapten, roedd y tîm yn chwarae pêl-droed pert iawn.

Ond er bod pawb yn mwynhau gwylio'r

Elyrch, roedd y cyfarwyddwyr yn credu bod Flynn yn rhoi gormod o ryddid i'r chwaraewyr. Martinez oedd yr unig aelod o'r tîm nad oedd yn yfed cwrw ac roedd tafarnwyr y ddinas yn gwybod bod rhai o'r chwaraewyr yn yfwyr trwm ac yn cwrso merched hefyd. Roedd Trundle hyd yn oed yn brolio iddo ganlyn Miss Wales, Miss England a Miss Great Britain yn ystod yr un tymor! Gan nad oedd Flynn yn byw yn yr ardal, efallai nad oedd yn gwybod am y miri hwn, ond roedd hi'n amlwg fod safon ffitrwydd y chwaraewyr yn dioddef. Felly, pan ddiflannodd unrhyw obaith o gyrraedd y gêmau ail gyfle, penderfynodd Huw Jenkins ddiswyddo Flynn a Reeves ym mis Mawrth 2004. Alan Curtis ofalodd am y garfan hyd ddiwedd y tymor.

Kenny Jackett oedd olynydd Flynn. Er nad oedd Jackett yn enedigol o Gymru, roedd ei dad yn ddyn lleol ac wedi bod ar lyfrau'r Elyrch yn y pumdegau. Ar ôl treulio'i yrfa yn chwarae dros Watford ac ennill 31 cap dros Gymru, daeth Jackett yn hyfforddwr uchel iawn ei barch. Bu'n gynorthwyydd i Graham Taylor yn Watford ac i Ian Holloway yn Queens Park Rangers. Doedd e ddim y math o ddyn a fyddai'n dioddef unrhyw ddwli. Yn wir, roedd ganddo'r enw o fod yn ddisgyblwr llym. Ond yn fwy na dim – a dyma ofn pennaf y chwaraewyr a'r cefnogwyr – yn ôl y sôn roedd yn ffafrio dull Graham Taylor o chwarae. Dull uniongyrchol oedd hwnnw, sef sicrhau bod y bêl yn cyrraedd y cwrt cosbi mor gynnar â phosib.

Diolch i Jackett, daeth oes yr yfed trwm i ben. O hynny ymlaen câi'r chwaraewyr gyngor gan ddietegydd ynglŷn â beth i'w fwyta a'i yfed. Roedd y sesiynau ymarfer yn galetach nag erioed o'r blaen a byddai Jackett yn treulio oriau yn hyfforddi'r chwaraewyr yn ei ddull o chwarae. Roedd nifer o'r chwaraewyr newydd – y gôl-geidwad Willy Gueret a'r amddiffynwyr Kevin Austin, Garry Monk a Sam Ricketts – yn fechgyn cryf ac yn barod am frwydr bob amser. Cafodd Monk a Robinson eu hanfon oddi ar y maes o fewn munudau i'w gilydd yn ystod un gêm yn Amwythig. Hefyd, pan gafodd Willy Gueret ei arestio ar ôl helynt ar ddiwedd gêm yn Bury, roedd y cefnogwyr i'w clywed yn llafarganu 'Free Willy!' yn y cefndir.

Ond rhaid cydnabod bod dulliau Jackett wedi llwyddo. Roedd yn gwybod na fyddai modd codi o'r Drydedd Adran trwy ddibynnu ar fechgyn ifanc dibrofiad. Yn ystod ei dymor llawn cyntaf enillodd y clwb ddyrchafiad yn 2005 a chipio Cwpan Cymru hefyd trwy guro Wrecsam. Dyma pryd y ffarweliodd y clwb â'r Vetch. Ar 30 Ebrill, profiad emosiynol iawn i'r tîm oedd chwarae yn erbyn Amwythig ar yr hen gae am y tro olaf. Ond roedd stadiwm newydd hardd, gyda chyfleusterau gwych, yn barod i'w croesawu. Er y byddai rhai'n hiraethu am y Vetch am flynyddoedd, y gwir yw bod y clwb a'r chwaraewyr yn haeddu cartref gwell. Stadiwm Liberty fyddai cartref yr Elyrch yn y dyfodol.

Yn ystod misoedd olaf tymor 2005–6 roedd dau uchafbwynt i'w cofio – un profiad pleserus a'r llall yn un siomedig. Rownd derfynol Tlws y Cynghrair Pêl-droed oedd y cyntaf. Teithiodd 27,000 o gefnogwyr yr Elyrch i Stadiwm y Mileniwm yng Nghaerdydd i wylio'u tîm yn herio Carlisle ar 2 Ebrill 2006. Dyma lwyfan delfrydol i Lee Trundle ddangos ei ddoniau. Ar ôl tair munud croesodd Leon Britton y bêl o'r asgell dde. Rheolodd Trundle y bêl ar ei frest ac wrth iddi syrthio, ac yntau'n troi yn yr awyr ar y pryd, ergydiodd foli berffaith â'i droed chwith i gornel y rhwyd. Byddai cyn-chwaraewr dawnus yr Elyrch, Ivor Allchurch, wedi rhyfeddu petai wedi cael y fraint o wylio'r gôl anhygoel hon. Diolch i gôl hwyr gan Bayo Akinfenwa, aeth Abertawe ymlaen i ennill y tlws o ddwy gôl i un.

Dychwelodd Abertawe i'r un stadiwm ar 27 Mai i wynebu Barnsley yn rownd derfynol y gêmau ail gyfle. Y wobr fawr oedd dyrchafiad i'r Bencampwriaeth. Roedd y stadiwm yn orlawn a'r tensiwn i'w deimlo ymhlith y dorf. Er mai Abertawe oedd y tîm gorau ar y dydd, methu un cyfle da ar ôl y llall i sgorio oedd eu hanes. Petai Jackett wedi dewis Trundle o'r dechrau, mae'n ddigon posib y byddai Abertawe wedi ennill. Ond yn y diwedd, a'r sgôr yn gyfartal 2–2, cafodd y gêm ei setlo trwy giciau o'r smotyn. Methodd Akinfenwa a Tate, a chollodd Abertawe'r gêm o 3 cic gosb i 4. Treuliodd y chwaraewyr a'r cefnogwyr y noson honno'n boddi eu gofidiau mewn cwrw.

Ni chafodd neb ei siomi'n fwy na Jackett. Yn ystod y tymor canlynol roedd hi'n anodd iddo danio ysbryd y chwaraewyr ac ysbrydoli'r dorf. Ym mis Chwefror 2007 ymddiswyddodd, gan honni bod rhai o'r chwaraewyr a'r cefnogwyr wedi colli ffydd ynddo. Roedd wedi gweithio'n galed dros y clwb, gan osod sylfeini ar gyfer ei lwyddiant yn y dyfodol.

PENNOD 7: MARTINEZ A SOUSA

TRWY GYDOL HANES Y clwb roedd bwrdd y cyfarwyddwyr wedi penodi rheolwyr o'r Deyrnas Unedig ac Iwerddon. Daeth yr arferiad hwnnw i ben ar 23 Chwefror 2007 pan benodwyd Roberto Martinez, gŵr o Gatalonia yn Sbaen, i'r swydd. Er ei fod yn chwaraewr eithriadol o ddeallus a phoblogaidd, roedd Martinez yn ddewis mentrus iawn. Gor-fentrus, yn ôl rhai, oherwydd doedd ganddo ddim profiad o reoli clwb. Ond roedd hynny'r un mor wir am John Toshack pan gafodd ei benodi ym 1978. Roedd Martinez, y Catalan golygus, yn 33 oed ar y pryd ac wedi cael y profiad o chwarae dros Real Zaragoza yn La Liga cyn ymuno â Wigan Athletic ym 1995. 'Y Tri Amigo' oedd enw'r chwaraewyr a chefnogwyr Wigan arno ef a'i ddau gyfaill – Jesus Seba ac Isidro Diaz. Wedi hynny, bu'n chwarae i Motherwell a Walsall cyn derbyn gwahoddiad Brian Flynn i ymuno â'r Elyrch ym mis Chwefror 2003. Dyn hirben iawn oedd Martinez. Roedd ganddo radd prifysgol mewn ffisiotherapi a gradd uwch mewn rheoli busnes. At hynny, fel cyn-chwaraewr, roedd yn nabod y clwb a'r chwaraewyr yn dda.

Dros gyfnod o dair blynedd a hanner yn Abertawe roedd Martinez wedi gwneud argraff fawr ar Huw Jenkins am ei fod yn ddyn bonheddig a hoffus. Fel capten, roedd yn gallu ysbrydoli'r tîm trwy annog y chwaraewyr i gefnogi ei gilydd ac i basio'r bêl yn gywir. Gwyddai ei gyfeillion fod ei wybodaeth dactegol yn ddyfnach o lawer na'r rhan fwyaf o reolwyr. Roedd yn well ganddo drafod dulliau o chwarae dros gwpanaid o goffi na gwastraffu ei amser yn ysmygu ac yfed mewn tafarn. Ac er nad oedd dull Kenny Jackett o chwarae pêl-droed wrth ei fodd ac iddo hefyd gael ei drin yn wael ganddo, bu'n deyrngar iawn i'r rheolwr tan iddo adael y clwb a mynd i Gaer yn 2006.

Gwyddai Martinez o'r dechrau fod cefnogwyr Abertawe yn dyheu am weld y tîm yn chwarae pêl-droed prydferth. Un o'i benderfyniadau cyntaf oedd gwahodd Alan Curtis i ofalu am ieuenctid y clwb. Gwyddai fod Curtis yn rhannu'r un agwedd ag ef tuag at y gêm ac y byddai ei enw da yn y cylch yn denu chwaraewyr addawol i'r clwb. Graeme Jones a Colin Pascoe gafodd eu dewis i fod yn gynorthwywyr a Kevin Reeves yn brif sgowt. Dan arweiniad Martinez, ymhen fawr o dro byddai Abertawe yn chwarae pêl-droed yn null timau gorau Sbaen. Yn wir, newidiodd 'El Gaffer' y clwb yn llwyr.

Ond cyn i hynny ddigwydd, roedd gan Martinez y dasg o weld pa mor uchel y byddai'r clwb yn gallu cyrraedd yn Adran Un ar ôl i Jackett adael yn annisgwyl ym mis Chwefror 2007. Er mai dim ond 12 gêm cynghrair oedd yn weddill, bu'r tîm bron â chyrraedd y safleoedd ail gyfle. Roedd yn rhaid curo Blackpool gartref o dair gôl yng ngêm olaf y tymor er mwyn sicrhau hynny. Ond colli'n drwm wnaethon nhw o chwe gôl i dair, diolch i bedair gôl gan Andy Morrell, cyn-chwaraewr Wrecsam.

Yn ystod yr haf penderfynodd Martinez gadw nifer o'r chwaraewyr oedd wedi cynnal y tîm trwy'r cyfnodau anodd. Ymhlith y chwaraewyr hyn roedd Leon Britton, Alan Tate a Kris O'Leary, a hefyd Garry Monk, Dennis Lawrence ac Andy Robinson a oedd yn ffefrynnau gan Jackett. Ond cododd Martinez gyffro mawr yn y ddinas hefyd trwy brynu, am symiau digon cymedrol, nifer o chwaraewyr tramor. Ei nod oedd dod o hyd i chwaraewyr oedd yn gyfforddus ar y bêl ac yn dyheu am lwyddiant ar y cae.

Diolch i gysylltiadau Martinez a gwaith ymchwil Kevin Reeves, daeth o hyd i fargeinion yn Sbaen. Cyn pen dim roedd gan Abertawe ei hun ei thri *amigo* wedi i'r Catalaniaid Àngel Rangel, Andrea Orlandi a Guillem Bauza ymuno â'r clwb. Roedd tinc hyfryd yn enw'r cefnwr de, sef Àngel Rangel, ac roedd ei ddawn artistig ar y bêl a'i redeg grymus yn amlwg o'r cychwyn. Asgellwr chwith medrus oedd Orlandi ac roedd Bauza yn flaenwr chwim a deallus.

O'r Iseldiroedd roedd y gôl-geidwad Dorus de Vries a'r chwaraewr canol cae Ferrie Bodde yn dod, y ddau ohonyn nhw'n gyn-chwaraewyr Den Haag. Roedd de Vries yn chwarae i Dunfermline pan brynodd Martinez ef yn rhad yn ystod haf 2007. Roedd yn gôl-geidwad cryf a hyderus, ac yn boblogaidd gyda'r dorf. Chwaraewr gwych arall oedd Bodde, a gostiodd £85,000. Gallai basio pêl yn ddeallus, taclo'n gadarn a sgorio goliau cofiadwy. Gwaetha'r modd, er mawr siom iddo ef ei hun ac i'r clwb, cafodd anaf cas i'w ben-lin ym mis Tachwedd 2008.

Ond Jason Scotland, blaenwr o Trinidad a brynodd o St Johnstone am £25,000, oedd y chwaraewr allweddol a arwyddwyd gan Martinez. Gan fod Martinez am chwarae'r system 4–3–3, roedd cael blaenwr cryf a dawnus yn hanfodol. Yn ystod y ddau dymor nesaf byddai Scotland yn sgorio 45 gôl mewn gêmau cynghrair, y rhan fwyaf ohonyn nhw'n goliau gwych iawn. Byddai gwir angen y goliau hynny oherwydd, er mawr siom, mynnodd eilun y cefnogwyr, Lee Trundle, ymuno â Bristol City er mwyn datblygu ei yrfa. Sicrhaodd Huw Jenkins ei fod yn cael miliwn o bunnau am 'Magic Daps'.

Roedd Martinez yn drefnydd ac yn hyfforddwr penigamp. Yn ôl y chwaraewyr, roedd ei ddulliau 'fel chwa o awyr iach'. Ar y maes ymarfer roedd ei wybodaeth ac amrywiaeth yr ymarferion yn destun rhyfeddod. Ym mhob sesiwn, byddai'r chwaraewyr yn ymarfer gyda'r bêl. 'Y bêl,' meddai Martinez droeon, 'yw eich cyfaill gorau.' Roedd bod yn aelod o'r garfan nid yn unig yn brofiad hapus ond hefyd yn addysg ynddi'i hun. Roedd am bwysleisio ei fod am weld y tîm yn chwarae fel y bydd timau o'r cyfandir yn ei wneud. Felly, aeth â'r tîm am rai wythnosau i ymarfer yn galed iawn yn Sweden a'r Iseldiroedd cyn i dymor 2007–8 ddechrau.

O'r gic gyntaf bu gwylio'r Elyrch yn chwarae yn ystod tymor 2007–8 yn hyfrydwch pur. Ym mhob gêm, bron, byddai'r tîm yn ennill y rhan fwyaf o'r meddiant. O ganlyniad, roedd modd iddyn nhw reoli rhythm a rhediad y chwarae, heb sôn am flino'r gwrthwynebwyr. Fe gawson nhw rai canlyniadau rhyfeddol. Pwy all anghofio curo Leyton Orient o bum gôl ar eu maes eu hunain, a hwythau ar frig y tabl ar y pryd. Yn Stadiwm Liberty wedyn, er i Bodde gael ei anfon o'r maes yn yr hanner cyntaf, roedd deg dyn Abertawe yn drech na Leeds United. Erbyn diwedd 2007 roedd yr Elyrch ar frig Adran Un.

Er i Abertawe golli i dîm budr o'r enw Havant and Waterlooville yn nhrydedd rownd Cwpan FA Lloegr, cawson nhw lwyddiant mawr yng ngêmau'r cynghrair yn ystod misoedd cynnar 2008. Yn wir, petai'r tîm wedi curo Millwall ar 7 Mawrth byddai record y clwb o chwarae 18 gêm heb golli wedi'i chwalu. Yn ogystal â chwarae'n hyfryd o ymosodol, roedd gan Abertawe ddigon o ddynion cadarn yn ei llinell gefn. A thrwy guro Gillingham o ddwy gôl i un (Bauza yn sgorio'r ddwy gôl) yn Stadiwm Priestfield ar 12 Ebrill, enillon nhw ddyrchafiad i'r Bencampwriaeth â thair gêm yn dal yn weddill. Ond oherwydd ansicrwydd ynghylch safle terfynol Leeds United, ni fu modd i'r capten Garry Monk godi Tlws y Bencampwriaeth tan 3 Mai, pan guron nhw Brighton oddi cartref o gôl i ddim.

Bu perfformiad y tîm yn ystod y tymor yn un arbennig iawn. Enillon nhw 14 gêm oddi cartref – profiad newydd i glwb oedd yn enwog am golli eu gêmau oddi cartref! Enillon nhw gyfanswm o 92 o bwyntiau, camp eithriadol iawn a bu'r cefnogwyr a'r wasg yn canu eu clodydd. Yn goron ar y cyfan oedd y newyddion fod Roberto Martinez wedi'i ethol yn Rheolwr y Flwyddyn yn Adran Un. Meddai 'El Gaffer': 'Mae ein llwyddiant yn golygu bod llawer iawn o'n cefnogwyr yn falch o Glwb Pêl-droed Dinas Abertawe, o ddinas Abertawe ac o bêl-droed yng Nghymru.'

Cynghrair anodd yw'r Bencampwriaeth ac yn ystod tymor 2008–9 prin fod un tîm gwael ynddo. Bu'n rhaid i Abertawe frwydro am bob pwynt ac roedd yn rhaid i Martinez addasu ei dactegau yn ôl y galw. Ond eto byddai'r tîm yn swyno'r torfeydd wrth i arddull Sbaenaidd Martinez lwyddo. Fe gawson nhw rediad da yng Nghwpan FA Lloegr a bu'r tîm yn uchel yn y tabl trwy gydol y tymor. Ond pan gollon nhw'r gêm olaf ond un oddi cartref yn erbyn Sheffield United, methon nhw gyrraedd y gêmau ail gyfle. Er hynny, camp fawr gan yr Elyrch fu cyrraedd yr wythfed safle ac ennill cyfanswm o 68 pwynt yn ystod eu tymor cyntaf yn y Bencampwriaeth.

Roedd Martinez yn fodlon iawn ar gynnydd y clwb. Byddai'n siarad yn gynnes iawn â'r wasg am Abertawe a'r fro, am harddwch yr ardal ac am ddiwylliant dwyieithog cefnogwyr y clwb. Roedd wrth ei fodd â'r chwaraewyr ac yn falch eu bod mor barod i roi o'u gorau. Wrth gwrs, roedd ef ei hun yn arwr ymhlith y Jacs. Yn wir, prin fod unrhyw un o reolwyr Abertawe yn y gorffennol wedi bod mor boblogaidd ymhlith y cefnogwyr. Ym mhob gêm yn Stadiwm Liberty, 'Roberto Martinez' oedd y floedd gynhesaf.

Yna, yn gwbl annisgwyl, gadawodd Martinez y clwb ym mis Mehefin 2009 a derbyn gwahoddiad gan ei hen gyfaill, Dave Whelan, i ymuno â'i gyn-glwb Wigan. Beth oedd ei reswm dros adael? Rhaid ei fod yn credu bod Wigan yn cynnig gwell dyfodol iddo. Doedd cyfleusterau ymarfer Abertawe ddim yn dda o gwbl a doedd fawr ddim arian ar gael i brynu chwaraewyr gwirioneddol dda. Roedd cadeirydd Wigan yn un o'i gyfeillion pennaf ac roedd yn fodlon cynnig cytundeb tair blynedd iddo a hwnnw'n werth £1.5 miliwn y flwyddyn.

Yn eu siom a'u dicter, cyhuddwyd Martinez gan y cefnogwyr o fradychu'r clwb. Onid oedd wedi dweud ar goedd na fyddai byth yn gadael oni bai fod y clwb yn ei orfodi i adael? Dros nos aeth 'El Gaffer' yn 'El Jiwdas'. I wneud pethau'n waeth aeth Martinez â phedwar aelod o'i staff wrth-gefn gydag e. Yna, cipiodd Jason Scotland am ddwy filiwn a Jordi Goméz, y ddau sgoriwr mwyaf cyson yn y garfan. Roedd y cyfan yn brofiad hunllefus i gefnogwyr ffyddlon y Jacs.

Gan fod Huw Jenkins a'r cyfarwyddwyr eraill yn awyddus iawn i lynu wrth yr un dull o chwarae, roedd olynydd Martinez hefyd yn rhannu'r un syniadau am y gêm. Brodor o Viseu ym Mhortiwgal oedd Paulo Sousa. Roedd e'n llawer mwy profiadol fel chwaraewr rhyngwladol nag oedd unrhyw un o gyn-reolwyr Abertawe, gan gynnwys John Toshack. Roedd ganddo 51 cap dros ei famwlad a phrofiad o chwarae ym mhrif gynghreiriau pwysicaf Ewrop. Roedd wedi chwarae yn y Primeira Liga, Serie A, Bundesliga, Alpha Ethniki a La Liga. Ar ôl rhoi'r gorau i chwarae yn 31 oed, yn 2002, bu'n aelod o staff hyfforddi tîm cenedlaethol Portiwgal, gyda gofal arbennig dros chwaraewyr ifanc. Ar y llaw arall, ychydig iawn o brofiad oedd ganddo o bêl-droed yn y Bencampwriaeth, ac eithrio chwe mis fel rheolwr Queens Park Rangers.

Pan ymddangosodd Sousa o flaen y wasg yn Stadiwm Liberty ar 23 Mehefin 2009, cafodd pawb eu synnu o weld gŵr mor olygus. Gwisgai ddillad ffasiynol, ac roedd yn gallu siarad pum iaith (ond nid y Gymraeg!). Gyda Bruno Oliveira, oedd hefyd yn dod o Bortiwgal, yn gynorthwyydd iddo, aeth ati i osod ei stamp ei hun ar y tîm. Fel Martinez, byddai bob amser yn rhoi pwyslais ar gadw meddiant, chwarae fel uned, a phasio'n gelfydd. Ond roedd ei system 4–5–1 yn fwy amddiffynnol na system Martinez. Câi fwy o bleser o weld ei chwaraewyr yn atal goliau yn hytrach na'u sgorio. Roedd Ashley Williams, canolwr a brynodd Martinez o Stockport County, yn gadarn yng nghanol yr amddiffyn, a phan gafodd y capten Garry Monk ei anafu, daeth Alan Tate i'r adwy.

Ond er i Sousa wario arian mawr ar Craig Beattie, blaen ymosodwr o West Bromwich Albion oedd wedi ennill capiau dros yr Alban, ni ddaeth o hyd i chwaraewr i lenwi'r bwlch wedi i Jason Scotland adael. Yn ystod tymor 2009–10, dim ond 40 gôl a sgoriodd y tîm yng ngêmau'r cynghrair. Ar y llaw arall, roedd sgorio gôl yn erbyn Abertawe yr un mor anodd. Llwyddodd de Vries i gadw'r tîm arall rhag sgorio gôl yn eu herbyn mewn 24 gêm. O ganlyniad, ar un adeg yn ystod y tymor cafodd y clwb rediad o 11 gêm heb golli. Er iddyn nhw ddiodde sawl cam gan ddyfarnwyr gwael, bu'r clwb ymhlith y chwe thîm uchaf am ran helaeth o'r tymor. Yn wir, honnodd Chris Hughton, rheolwr Newcastle United, mai Abertawe oedd yn chwarae'r pêl-droed gorau yn y Bencampwriaeth.

Ond un penstiff oedd Sousa. Hyd yn oed pan oedd gwir angen i'r tîm ymosod er mwyn cipio triphwynt, roedd yn gyndyn i newid patrwm y chwarae neu, fel y byddai Lee Trundle yn dweud, 'i fynd amdani'. Er bod ganddo ddau asgellwr chwim yn Nathan Dyer a David Cotterill, roedd yn disgwyl iddyn nhw amddiffyn llawn cymaint ag ymosod. Wedi iddyn nhw golli gêmau pwysig wrth i'r tymor ddod i ben, roedd nifer o'r chwaraewyr mwyaf profiadol yn cwyno bod y safonau ar y maes hyfforddi wedi gostwng. O ganlyniad i'r canlyniadau gwael, annisgwyl hyn, roedd cyrraedd y gêmau ail gyfle yn dibynnu ar ganlyniad gêm olaf y tymor ar 2 Mai.

Ar y prynhawn Sul hwnnw roedd yn rhaid i'r Elyrch guro Doncaster gartref a gobeithio y byddai Bristol City yn curo Blackpool oddi cartref. Gwendid mawr Abertawe ar hyd y flwyddyn oedd prinder goliau ac unwaith eto roedd tactegau Sousa yn rhy negyddol. Cadwodd y dewin Lee Trundle ar y fainc tan y munudau olaf. Nid oedd lwc o'i blaid chwaith. Gydag ychydig funudau yn weddill, a'r gêm yn ddi-sgôr, cafodd Craig Beattie ei faglu yn y blwch cosbi. I bawb o'r 18,000 oedd yno, ac eithrio'r dyfarnwr, roedd y drosedd yn haeddu cerdyn coch a chic o'r smotyn. Ond ni chwibanodd y dyfarnwr. Daeth y gêm i ben yn ddi-sgôr, ac er i Bristol City guro Blackpool, roedd Abertawe wedi boddi wrth ymyl y lan.

Eto i gyd, roedd gorffen yn y seithfed safle yn gamp ardderchog. Doedd Abertawe ddim wedi cyrraedd safle mor uchel ers 27 o flynyddoedd. Ond mae'n amlwg fod Sousa wedi disgwyl gwell. Roedd ei berthynas â bwrdd y cyfarwyddwyr yn sigledig ac roedd chwaraewyr fel Britton a Trundle yn anesmwyth ynglŷn â'u dyfodol. Diflannodd Sousa i Bortiwgal dros yr haf ac erbyn iddo ddod yn ôl ar ddiwedd mis Mehefin roedd y si ar led ei fod ar fin torri ei gytundeb trwy fynd yn rheolwr ar Leicester City. Ac yntau'n ddyn uchelgeisiol ac yn hoff o arian, ffarweliodd Sousa â'r clwb ar 4 Gorffennaf. Yn eironig ddigon, dri mis yn ddiweddarach, cafodd ei ddiswyddo gan ei glwb newydd.

O fewn blwyddyn, felly, roedd Abertawe wedi colli dau reolwr. Gan fod Martinez yn gymaint o ffefryn a'i agwedd at y gêm mor ffres, gwelodd Abertawe ei golli'n fawr. Ond am nad oedd Sousa mor gyfeillgar ac am nad oedd ei ddull o chwarae mor boblogaidd, doedd fawr neb yn hiraethu pan adawodd e. Er hynny, roedd y ddau ohonyn nhw wedi codi safon y tîm ac wedi denu torfeydd o 15,000, ar gyfartaledd, i wylio'r Elyrch. Y cam nesaf fyddai dod o hyd i reolwr a fyddai'n arwain y clwb i lefel uwch eto, sef yr Uwchgynghrair.

PENNOD 8:
CYRRAEDD YR UWCHGYNGHRAIR

PENTREF BYCHAN AR ARFORDIR Swydd Antrim yng
Ngogledd Iwerddon yw Carnlough, ac yn
groes i bob disgwyl, brodor o'r ardal honno
a ddaeth yn olynydd i Paulo Sousa. Roedd y
wasg a'r bwcis wedi proffwydo mai'r Cymro
Gary Speed, rheolwr Sheffield United, fyddai'n
cipio'r swydd. Ond roedd sgwrsio â Brendan
Rodgers yn y cyfweliad yn ddigon i argyhoeddi
Huw Jenkins a'r bwrdd mai'r Gwyddel oedd yr
ymgeisydd gorau.

Roedd gan Rodgers sawl cymhwyster cryf.
Er nad oedd ond 37 oed, roedd wedi bod
wrthi'n hyfforddi timau ers 17 mlynedd.
Roedd wedi gweithio gyda'r rheolwr disglair
José Mourinho yn Chelsea ac wedi'i ddewis i
ofalu am ieuenctid ac ail dîm y clwb hwnnw.
Gadawodd Stamford Bridge i reoli timau
Watford a Reading yn y Bencampwriaeth
Roedd yn ddyn deallus ac yn un hawdd
gwneud ag e. Yn fwy na dim, roedd ganddo
gynlluniau mawr ar gyfer yr Elyrch. Cafodd
Huw Jenkins ei swyno gan ei weledigaeth ac
felly Rodgers gafodd y swydd ar 16 Gorffennaf
2010. Roedd pennod newydd ar fin agor yn
hanes y clwb.

Daeth yn amlwg iawn yn gynnar yn y tymor fod dulliau a thactegau Rodgers yn wahanol iawn i rai Sousa. Roedd y Gwyddel yn rhoi llawer iawn mwy o bwyslais ar ymosod yn gyflym, defnyddio'r ddwy asgell, a gwasgu'n dynn ar dimau ar ôl colli'r bêl. Ei nod oedd ceisio ennill pob gêm. Roedd agwedd fel hon yn llawer iawn nes at ddull traddodiadol Abertawe o chwarae, a chafodd y cefnogwyr eu plesio'n fawr. O'r diwedd dechreuodd Abertawe sgorio goliau, yn enwedig gartref yn Stadiwm Liberty.

Pleser arbennig oedd gweld Joe Allen yn datblygu fel chwaraewr canol cae celfydd ac egnïol – Cymro Cymraeg oedd e a gafodd ei eni yng Nghaerfyrddin a'i fagu yn sir Benfro. Ffefryn mawr arall oedd Nathan Dyer, yr asgellwr cyflymaf a mwyaf hudolus a fu'n chwarae i Abertawe ers dyddiau Cliff Jones. Ac o ddiwedd Awst ymlaen roedd ganddo bartner disglair hefyd. Gan fanteisio ar ei gysylltiadau â Chelsea, llwyddodd Rodgers i ddenu'r asgellwr chwith Scott Sinclair i Stadiwm Liberty. Roedd Sinclair yn gwybod sut i ymosod a sgorio ac yn gwybod hefyd sut i gymryd ciciau o'r smotyn. Gyda sêr ifanc fel hyn yn y tîm roedd gobaith o ennill dyrchafiad i'r Uwchgynghrair unwaith eto. 'Rwy'n hoffi ennill mewn steil,' meddai Rodgers. 'Rwy'n hoffi hefyd gweld fy nhîm yn rheoli gêmau yn llwyr.'

Erbyn diwedd 2010 roedd Abertawe wedi ennill 40 pwynt ac yn y trydydd safle, yn dynn wrth sodlau Caerdydd. Yn ystod y flwyddyn newydd dychwelodd Leon Britton, a oedd wedi gadael am Sheffield United chwe mis cyn hynny ar ôl ffraeo â Sousa. Gan fod Britton yn chwaraewr mor feistrolgar, bu hynny'n hwb mawr i'r clwb. Cyn bo hir hefyd roedd Rodgers wedi denu Fabio Borini, Eidalwr ifanc hynod dalentog, ar fenthyg o Chelsea i arwain y llinell flaen. Ond er bod perfformiadau Abertawe gartref yn gampus, roedd yr hen arferiad o golli oddi cartref yn erbyn timau salach, fel Scunthorpe a Preston, yn parhau. Oedd gan y chwaraewyr ddigon o blwc a dyfalbarhad i ennill dyrchafiad? Roedd gan Rodgers bob ffydd ynddyn nhw, ond yn y diwedd bu'n rhaid bodloni ar geisio cyrraedd yr Uwchgynghrair trwy'r gêmau ail gyfle. Doedd Martinez na Sousa ddim wedi mynd â'r clwb mor bell â hyn nac wedi cyrraedd y fath safon. Roedd tîm Brendan Rodgers yn chwarae pêl-droed mor hardd fel bod rhai gohebwyr yn cyfeirio at yr Elyrch fel 'Barcelona'r Bencampwriaeth'.

Yr her gyntaf oedd curo Nottingham Forest

yn rownd gynderfynol y gêmau ail gyfle. Rhaid oedd teithio i'r City Ground ar gyfer y cymal cyntaf ar 12 Mai 2011. O fewn munud cafodd Neil Taylor, cefnwr chwith addawol Abertawe, ei anfon o'r cae am dacl uchel beryglus. Byddai sawl tîm salach nag Abertawe wedi bodloni ar amddiffyn o hynny ymlaen. Ond mynnodd Abertawe ymosod, gan gadw meddiant o'r bêl am ran helaeth o'r hanner cyntaf. Cynyddodd y pwysau arnyn nhw yn yr ail hanner a bu'n rhaid i de Vries fod ar ei orau'n gyson. Erbyn y chwiban olaf roedd deg dyn Abertawe wedi blino'n lân, ond yn fwy na bodlon ar y canlyniad di-sgôr. Bloeddiodd y Jacs eu cefnogaeth a doedd neb yn falchach o'i chwaraewyr na Brendan Rodgers.

Bedwar diwrnod yn ddiweddarach chwaraewyd yr ail gymal yn Stadiwm Liberty. Roedd y stadiwm yn ferw gwyllt a gwelodd y cefnogwyr y gêm fwyaf gyffrous yn Abertawe ers blynyddoedd maith. Cryfder corfforol oedd arf pennaf Nottingham Forest ac roedd ganddyn nhw nhw sawl cawr yn eu tîm. Ond roedd chwaraewyr bychan Abertawe yn gwbl hyderus. Roedd Allen a Britton yn sêr ar y bêl ac roedd safon y cyd-chwarae rhwng yr amddiffynwyr a'r blaenwyr yn syfrdanol ar brydiau. Ar ôl 28 munud aeth Abertawe ar y blaen pan sgoriodd Britton berl o gôl â'i droed chwith o ymyl y cwrt cosbi. Ymhen pum munud roedd Abertawe ddwy gôl ar y blaen pan darodd Stephen Dobbie ergyd rymus i gornel y rhwyd. Yn ystod yr ail hanner bu lwc o blaid Abertawe sawl gwaith. Roedd yr ymwelwyr yn pwyso'n ddi-baid a phan sgoriodd Robert Earnshaw gyda deg munud yn weddill roedd cefnogwyr y tîm cartref yn ofni'r gwaetha. Tarodd Earnshaw y postyn a chafodd Abertawe sawl dihangfa arall.

Yna, yn ystod yr eiliadau olaf, enillodd Nottingham Forest gic gornel ar yr asgell dde. Rhedodd Lee Camp, eu gôl-geidwad, bob cam o'i gôl i mewn i'r cwrt cosbi yn y gobaith o ddrysu amddiffynwyr Abertawe. Daeth y bêl i mewn i'r cwrt cosbi, a dyrnodd de Vries hi i ffwrdd. Disgynnodd y bêl wrth draed Darren Pratley, chwaraewr canol cae dawnus a oedd wedi dod i Abertawe o Fulham bum mlynedd ynghynt. Aeth Pratley â'r bêl ymlaen at y llinell hanner, a chwaraewyr Nottingham Forest yn cau amdano. Ond cyn iddyn nhw gael cyfle i'w daclo, saethodd Pratley y bêl o'i hanner ei hun i mewn i gôl wag yr ymwelwyr. Bloeddiodd cefnogwyr yr Elyrch eu gorfoledd a rhedodd Brendan Rodgers fel milgi ar hyd yr ystlys i ddathlu'r fuddugoliaeth. Roedd tîm pêl-droed

Abertawe ar ei ffordd i Wembley i wynebu Reading, cyn-glwb Rodgers.

Mae rhyw ramant arbennig yn perthyn i Stadiwm Wembley ac mae'r bwa dur sydd uwch ei ben yn nodwedd arbennig iawn. Y bwa oedd y peth cyntaf a welodd dros 40,000 o gefnogwyr yr Elyrch yno ar fore Llun, 30 Mai 2011 wrth iddyn nhw agosáu at y Stadiwm yn eu bysiau a'u ceir. Roedd y naws yn drydanol. Doedd yr un o'r chwaraewyr wedi chwarae o flaen 86,581 o bobl o'r blaen ac roedd y croeso'n fyddarol pan gerddodd y ddau dîm i'r maes. Yn ôl y sôn, gallai'r clwb buddugol ddisgwyl gwobr ariannol o £90 miliwn, heb sôn am yr anrhydedd o chwarae yn Uwchgynghrair gorau'r byd.

Dechreuodd Abertawe yn nerfus a bu bron iddyn nhw ildio sawl gôl yn ystod y chwarter awr cyntaf. Ond cyn bo hir roedd Allen a Britton yn rheoli llif y chwarae yng nghanol y cae, a Dyer a Sinclair yn gwibio fel dau filgi i lawr yr esgyll. Pan gafodd Dyer ei lorio yn y cwrt cosbi ar ôl 19 munud, sgoriodd Sinclair yn ddidrafferth o'r smotyn. Ymhen ychydig funudau roedd Abertawe wedi dyblu ei mantais. Aeth Dobbie i lawr yr asgell dde cyn croesi'r bêl. Methodd Federici, gôl-geidwad nerfus Reading, â gafael ynddi ac roedd Sinclair yn y fan a'r lle i sgorio'i ail gôl. Pum munud cyn yr egwyl sgoriodd Dobbie gyda chwip o ergyd i gornel y rhwyd. Roedd cefnogwyr Reading wedi'u syfrdanu'n llwyr.

Ond daeth tro ar fyd yn yr ail hanner. Cafodd chwaraewyr Reading bryd o dafod gan ei rheolwr Brian McDermott yn ystod yr egwyl ac ymhen 12 munud o'r ail hanner roedd goliau gan Hunt a Mills wedi'u hysbrydoli. Bu bron iddyn nhw ddod â'r sgôr yn gyfartal, ond rywsut llwyddodd y tîm o Gymru i ddal ei dir. Gydag 11 munud yn weddill, cafodd Borini ei faglu yn y cwrt cosbi ac unwaith eto pwyntiodd y dyfarnwr at y smotyn. Er bod Sinclair yn ymwybodol pa mor bwysig oedd y gic o'r smotyn, cadwodd ei ben wrth osod y bêl a mesur ei rediad. Daeth bloedd enfawr o gyfeiriad y Jacs wrth weld y bêl yn nythu'n gyfforddus yng nghornel y rhwyd. Ac, o bedair gôl i ddwy, Abertawe aeth â hi. Hwn oedd y tro cyntaf erioed i glwb o Gymru gyrraedd yr Uwchgynghrair a bu dathlu mawr y noson honno yn Llundain ac yn Abertawe.

Ym mis Mehefin, tra oedd ei chwaraewyr yn torheulo ar draethau pell, dringodd Brendan Rodgers i gopa mynydd enwog Kilimanjaro. Codi arian dros elusen gofal am ganser Marie Curie oedd ei nod a chyflawnodd yr her yn llwyddiannus, yng nghwmni nifer o enwogion y bêl gron a newyddiadurwyr. Ar ôl iddo ddychwelyd, cafodd rhestr a dyddiadau'r gêmau i'w chwarae yn yr Uwchgynghrair o fis Awst ymlaen eu cyhoeddi.

Manchester City oddi cartref oedd y gwrthwynebwyr cyntaf – gêm galed i Abertawe fyddai hon. Ers iddo brynu'r clwb yn 2008 roedd y biliwnydd o Abu Dhabi, Sheikh Mansour, perchennog Manchester City, wedi gwario £254 miliwn ar brynu chwaraewyr newydd o bob cwr o'r byd. Y diweddaraf oedd Sergio Agüero, un o bêl-droedwyr gorau Sbaen. Talodd y clwb £38 miliwn i Atletico Madrid amdano – mwy na gwerth holl garfan a stadiwm Abertawe. Roedd disgwyl iddo chwarae ei gêm gyntaf yn erbyn Abertawe yn Stadiwm Etihad, cartref moethus City.

Roedd y gwahaniaeth rhwng adnoddau ariannol y ddau glwb yn anferth. Dros yr haf roedd Abertawe wedi prynu'r blaen ymosodwr, Danny Graham, am £3.5 miliwn o Watford; yr asgellwr Wayne Routledge am £1.8 miliwn o Newcastle United; y blaenwr Leroy Lita am £1.75 miliwn o Middlesbrough a'r gôl-geidwad rhyngwladol Michel Vorm am £1.5 miliwn o Utrecht. Cyfanswm o ryw wyth miliwn a hanner felly, tra oedd Manchester City wedi gwario £38 miliwn ar un chwaraewr! Er bod gan

Rodgers bob ffydd yn y chwaraewyr oedd wedi ennill dyrchafiad i'r clwb, roedd yn gwybod hefyd fod mynydd uwch na Kilimanjaro ganddo i'w ddringo. Y dasg i'r rheolwr a'r garfan oedd dal eu tir yn erbyn timau mwy profiadol a chyfoethog na nhw. Roedd un peth yn sicr, beth bynnag fyddai'n digwydd, byddai Abertawe yn parhau i chwarae pêl-droed pert. Fel y dywedodd Rodgers ar ddechrau'r tymor: 'Byddwn yn colli gêmau, ond fyddwn ni ddim yn newid ein dull o chwarae.'

Fel yn y tymor blaenorol, cawson nhw lawer gwell hwyl arni yn Stadiwm Liberty nag oddi cartref. Cafodd pob tocyn tymor ei werthu ac roedd y cefnogwyr yn edrych ymlaen at weld eu tîm yn cystadlu yn erbyn rhai o chwaraewyr gorau'r byd fel David Silva, Gareth Bale a Robin van Persie. Erbyn diwedd mis Hydref roedd Abertawe'n dal heb golli gartref ac ond wedi ildio un gôl. Curon nhw dri thîm corfforol iawn, sef West Bromwich Albion, Stoke a Bolton ac enillon nhw bwynt yn erbyn Wigan a Sunderland.

Ond enillodd y tîm ddim un pwynt yn y pedair gêm gyntaf oddi cartref. Ar ôl i Abertawe reoli'r meddiant am awr yn erbyn mawrion Manchester City yn Stadiwm Etihad, daeth Sergio Agüero i'r maes a sgorio dwy gôl wych.

Collwyd y gêm o bedair gôl i ddim. Ildiodd Abertawe bedair gôl hefyd yn erbyn sêr costus Chelsea yn Stamford Bridge. Roedd y tîm yn haeddu gêm gyfartal yn erbyn Arsenal yn yr Emirates. Ond colli'r gêm wnaethon nhw o un gôl i ddim, ar ôl camgymeriad anffodus gan Vorm. Siom hefyd fu colli 1–3 yn Norwich ar ôl hawlio dros 60% o'r meddiant. Yn y bumed gêm oddi cartref cawson nhw fwy fyth o siom am mai un pwynt yn unig enillon nhw yn erbyn Wolves ar ôl i Danny Graham a Joe Allen sgorio goliau ardderchog yn yr hanner cyntaf. Eto i gyd, roedd bod yn ddegfed yn y tabl erbyn diwedd mis Hydref yn gamp annisgwyl. Wedi'r cyfan, roedd y bwcis wedi dweud o'r cychwyn mai disgyn fyddai hanes Abertawe ar ddiwedd y tymor.

Erbyn hyn roedd hyd yn oed y wasg y tu allan i Gymru a sylwebwyr *Match of the Day* yn canmol chwarae'r Elyrch. Diolch i Deledu Sky, roedd gwylwyr mewn 212 o wledydd ym mhob rhan o'r byd yn gallu dilyn gêmau'r tîm. Roedd Brendan Rodgers yn benderfynol o gadw ei ddull pert o chwarae pêl-droed. Ond a fyddai hynny'n llwyddo yn erbyn y timau gorau?

Daeth ateb pendant ar ddiwrnod Guto Ffowc. Yn annisgwyl, fe lwyddodd yr Elyrch i ennill pwynt yn Anfield yn erbyn Lerpwl.

Chwaraeodd yr Elyrch yn dda iawn a chael clod mawr gan gefnogwyr Lerpwl yn y Spion Kop ar ddiwedd y gêm. Ymhen wythnos daethon nhw'n agos iawn at ennill yn erbyn Manchester United o flaen torf o 20,295 yn Stadiwm Liberty. Rhoddodd yr Elyrch ormod o barch i'r ymwelwyr ar ddechrau'r gêm, ac ar ôl ildio gôl gynnar doedd hyd yn oed ymdrech dda yn yr ail hanner ddim yn ddigon i achub pwynt. Hwn oedd y tro cyntaf i Abertawe golli gartref yn yr Uwchgynghrair.

Chwarae yn erbyn Aston Villa yn Stadiwm Liberty oedd y dasg nesaf, ond cyn y gêm rhaid oedd cyhoeddi fod Gary Speed, rheolwr tîm cenedlaethol Cymru, newydd farw. Roedd nifer o sêr y ddau dîm, heb sôn am y dorf, dan deimlad trwy gydol y gêm ddi-sgôr hon.

Yna, yn gwbl annisgwyl, cafodd Abertawe y dechrau gwaethaf posib i fis Rhagfyr. Rywsut neu'i gilydd llwyddodd y tîm i ildio pedair gôl oddi cartref yn erbyn Blackburn Rovers, un o'r timau gwannaf yn yr Uwchgynghrair. Unwaith eto, roedd amheuon a fyddai'r Elyrch yn gallu llwyddo yn erbyn timau corfforol cryf. Ond yna, yn y gêm nesaf dangosodd y chwaraewyr fwy o benderfyniad. Diolch i sawl arbediad gwych gan Vorm, gan gynnwys cic o'r smotyn, llwyddon nhw i guro Fulham 2–0 gartref. Ac er bod 51,000 o Geordies swnllyd yn boddi canu cefnogwyr Abertawe, llwyddodd y tîm hefyd i ennill pwynt gwerthfawr yn erbyn Newcastle trwy amddiffyn yn ddewr.

Ar ddiwrnod ola'r flwyddyn, mewn gêm yn erbyn enwogion Tottenham Hotspur, braf iawn oedd gweld Cliff Jones a Terry Medwin, dau o gyn-sêr y ddau glwb, ar y cae cyn y gic gyntaf. Roedd yr awyrgylch yn llawn tensiwn a chwaraeodd y ddau dîm yn gampus. Llwyddodd yr Elyrch i gadw dau o sêr Tottenham Hotspur – Luka Modrić a Gareth Bale – yn dawel, ac er mai Spurs sgoriodd gyntaf, Abertawe oedd y tîm gorau. Pan ddaeth Scott Sinclair â'r sgôr yn gyfartal chwe munud o'r diwedd, roedd bloedd y dorf i'w chlywed yn y Mwmbwls.

Mae 2012 yn flwyddyn dathlu canmlwyddiant yr Elyrch, ac ar ddechrau'r flwyddyn teithiodd y tîm ar Ŵyl y Banc i Barc Villa yn Birmingham. Deuddydd cyn y gêm roedd Aston Villa wedi ennill yn erbyn Chelsea, un o dimau gorau'r cynghrair, a hynny oddi cartref. Ond llwyddodd yr Elyrch i'w curo'n hawdd. Roedd Nathan Dyer a Wayne Routledge, y ddau asgellwr chwim, ar eu gorau ac yn llawn haeddu sgorio gôl yr un. O'r diwedd, am y tro cyntaf roedd Abertawe wedi ennill oddi cartref yn yr Uwchgynghrair!

Wrth ddathlu ei ben blwydd yn gant oed eleni, bydd y clwb yn siŵr o ganu clodydd ei gyn-chwaraewyr disglair. Braf fydd cofio am enwau sêr fel Joe Sykes, Jack Fowler, Mel Nurse, Cliff Jones, Ivor Allchurch, Alan Curtis, Robbie James a Lee Trundle. Bydd y clwb hefyd yn diolch i Fyddin y Jacs am ei chefnogaeth wych dros y blynyddoedd.

Mae gwreiddiau'r clwb yn ddwfn yn y gymuned ac erbyn hyn mae gan Ymddiriedolaeth y Cefnogwyr lais cryf ar fwrdd y cyfarwyddwyr. Ond, yn fwy na dim, dan arweiniad y rheolwr Brendan Rodgers, bydd y clwb yn edrych i'r dyfodol ac yn dyheu am lwyddiant pellach. Ein gobaith yw y bydd yr Elyrch yn mynd o nerth i nerth yn ystod y can mlynedd nesaf.

"This must-read book tells the story of the Swans' rise to the Premiership in a vivid way. It will bring back wonderful memories for the Jack Army."

Garry Monk

The SWANS GO UP!

Geraint H. Jenkins

y Lolfa

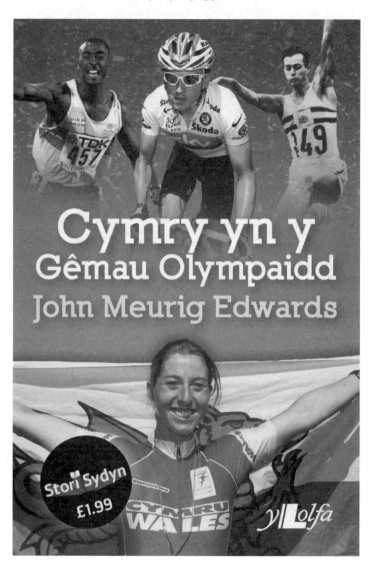

Cymry yn y
Gêmau Olympaidd
John Meurig Edwards

Stori Sydyn
£1.99

y Lolfa

COURTENAY
HAMILTON
TU ÔL I'R TIARA
BYWYD MISS CYMRU
Stori Sydyn
£1.99
y Lolfa

MANON STEFFAN ROS
HUNLLEF

yLolfa

JOHN HARTSON GYDA LYNN DAVIES

HARTSON

y Lolfa

TACSI I HUNLLEF

GARETH F. WILLIAMS

y Lolfa

Am restr gyflawn o lyfrau'r Lolfa, mynnwch
gopi o'n catalog newydd, rhad
neu hwyliwch i mewn i'n gwefan

www.ylolfa.com

lle gallwch archebu llyfrau ar lein.

TALYBONT CEREDIGION CYMRU SY24 5HE
ebost ylolfa@ylolfa.com
gwefan www.ylolfa.com
ffôn 01970 832 304
ffacs 832 782